KB081293

TRENDER

: 젊음의 시각으로 시대를 읽다

스물 여섯

TRENDER

: 젊음의 시각으로 시대를 읽다

강영흠 · 김동환 · 김시현
김지윤 · 이가현 · 정준영 지음

머리말

한 해가 가고 새로운 한 해가 오면, 어김없이 새해의 트렌드를 예측하는 책들이 불티나게 팔린다. 사람들은 예측이 불가능한 미래를 어느 정도 내다볼 수 있음에 매력을 느끼고, 구입을 결심한다. 이러한 책들은 대부분 정치·경제·사회·문화 분야 전문가들이, 기성세대의 관점으로 앞으로 펼쳐질 미래를 예측한다. 수없이 많이 바뀌어 온 강산을 봐 오던 그들이기에 풍부한 삶에 대한 지혜와 경험은 트렌드의 예측을 더욱 용이하게 만든다.

하지만 기성세대의 관점으로만 바라보는 새로운 시대에 대한 예측은 한계가 있다. 점점 빠르게 변화해 나가는 세상의 흐름 속에서, 특정 세대의 예측만이 무조건 정답이라고 할 수는 없다. 또한 기성세대 중 일부는 '예측'이라는 명목 아래 MZ세대를 자신들의 공식대로 규정짓고, 예단해 버린다. 서로를 바라볼 수 있는 기회도 부여하지 않은 채, MZ세대를 그저 일방적인 관찰의 대상으로 여긴다.

분명 MZ세대는 앞으로의 시대를 이끌어 갈 주역이다. 이제는 트렌드에 대한 MZ세대의 시각에 집중할 때이다.

"TRENDER"

'Trend'와 사람을 의미하는 접미사 '-er'을 결합한 단어로, '젊음의 시각으로 트렌드를 새롭게 읽는 사람'을 뜻한다. 우리는 다른 세대에 얽매이지 않고 20대의 관점으로 시대의 흐름을 예측하고자 한다. 우리는 이 책에서 트렌드를 이끌어 가는 '트렌더(TRENDER)'로서 새로운 관점을 펼칠 것이다. 이에 따라 6개의 키워드를 중심으로 우리만의 시각을 제시한다. 6명의 작가가 되어 경제, SNS, 사회 분야에서의 트렌드를 말한다. 갓 사회로 진출한 우리가 쌓아온 경험을 토대로, 각자가 정한 키워드 속 사회현상을 바라본다. '젊음의 시각으로 시대를 읽다'라는 부제처럼 뻔하지 않은 우리만의 신선한 생각을 전한다.

요즘의 20대는 '도전'보다는 '포기'가 더 익숙해졌다. 세상이 자신을 빛나게 해 줄 무대라고 여기기보다는 거대한 장벽으로 느끼는 청년들이 늘어간다. 정해진 공식에 자신을 맞추는 것이 아니라 삶을 주체적으로 꾸려 나가고 본인의 삶을 살아갈 때이다. 가는 길목마다 세워진 표지판을 보고 그저 '정해진 길'을 따라가는 것이 아닌 '새로운 길'을 찾아 나설 우리이다. 우리는 이 책을 통해 수많은 20대에게 새로운 시대의 흐름을 전하고자 한다.

목차

머리말 006

1. 꼭 알아야 할 경제, 우리가 읽는 TREND

이코노미스, 경제를 놓치는 20대 | 김동환 013

무비인플레이션, 앞으로 영화관은 어떻게 될까? | 정준영 043

2. SNS가 지배한 세상, 우리가 읽는 TREND

숏폼에서 본 유행 따라잡기, '인싸로 살아남는 법' | 강영흠 071

우리는 지금, 허세증후군에 시달리고 있다. | 김지윤 101

3. 새롭게 뜨는 사회현상, 우리가 읽는 TREND

세상을 연결할 MZ, MZ세대로서 말하다. | 이가현 131

완벽을 추구하는 사회, 나는 완벽강박증일까? | 김시현 161

1

이코노미스, 경제를 놓치는 20대

1. 경제 교육의 부재, 뚜렷한 경제관 없는 20대

돈은 현대 자본사회에서 살아가기 위해 필수적인 요소다. 안정적인 의식주를 보장받고 살아가기 위해서는 돈이 반드시 필요하다. 돈이라는 종이 쪼가리 혹은 계좌에 찍힌 숫자의 가치가 인간의 삶을 좌지우지하는 것은 자본주의의 냉정함이다. 결국 사람들이 자꾸 "돈, 돈" 하는 이유는 돈이 있어야 자신의 삶을 더욱 행복하게 꾸려갈 수 있다고 믿기 때문이다. 각자의 가치에 따라 행복의 기준도 다르겠지만 이 각박한 현실 속에서 돈 없이 행복하게 살아가기란 쉽지 않은 것에 동의할 것이다. 요즘은 평범함의 기준도 굉장히 높아져서 내 집 마련은커녕 내 차 마련도 쉽지 않은 실정이다. 그저 지친 일주일을 달랠 수 있는 하루의 소확행(소소하지만 확실한 행복)을 바라보며 달려가는 사람들도 많다. 모순적이게도 소확행을 실천하기 위해 사용할 비용 역시, 소소한 것이랑은 거리가 멀지만 말이다.

이렇듯 돈은 '사물의 가치를 나타내며, 상품의 교환을 매개하고, 재산 축적의 대상으로도 사용하는 물건'이라는 사전적 정의가 의미하는 세 가지 용도, 그 이상의 존재감을 뿜어낸다. 우리는 돈을 굴릴 것인지, 돈에 굴려질 것인지의 기로 속에서 하루하루를 '돈' 때문에 걱정하고 치열하게 살아간다. 책 「돈」의 저자, 보도 섀퍼는 책에서 "돈이 있어야 돈이 인생에서 지나치게 큰 비중을 차지하지 않도록 할 수 있다."라고 말한다. 돈의 많고 적음이 행복의 정도를 절대적으로 정할 수는 없지만, 그 영향에서 벗어나기란 쉽지 않다. 숫자로 가치를 드러낼 수 있기에 돈은 객관적인 성격을 지니지만, 돈을 바라보는 시선은 지극히 주관적이다. 이러한, 시선의 차이는 돈을 대하는 태도와 돈을 사용하는 행동의 차이로 이어진다. 특히나, 20대는 사회에 첫발을 내디디며 준비되지 않은 상태로 경제활동을 펼치는 경우가 대다수다. 아직까지는 재테크에 무지하고, 저축보다는 소비에 익숙한 세대다. 대개는 금융과 관련한 경험이 전무하기 때문이다. 20대가 경제활동의 첫걸음을 떼는 데 있어 제대로 된 경제관을 갖추지 않고, 무작정 앞만 보고 냅다 달려가는 것은 큰 문제로 이어진다. 투자를 하기 전 경제와 재테크를 이해하고 있는 것이 얼마나 중요한지 알아보자.

'벼락거지'라는 말을 들어본 적 있는가? 벼락부자는 많이 들어봤어도, 벼락거지라는 말은 생소할 수도 있다. 벼락거지란 자신의 소득에는 큰 변화가 없었음에도 자신은 보유하지 못한 부동산과 주식, 채권 등의 자본 가격이 급격히 올라 상대적으로 빈곤해진 사람을 가리키는 신조어다. 단순히 근로 소득에 의존한 경제생활을 해오던 사람이 재테크를 하며 부를 축적하는 사람에게 상대적 박탈감을 느끼는 것이다. 하지만 소위 벼락 거지에 해당하는 사람들은 뒤늦게라도 무리한 투자에 뛰어들면서, 부를 축적하는 것이 아닌, 가지고 있던 자산마저 날려버린다. 영혼까지 끌어모아 투자하는 뜻의 '영끌', 빚을 내서 부동산에 투자하는 '빚투' 등 일단 무조건 투자하는 기조는 문제되고 있다. 무지성 투자가 진짜 위험한 이유는 비단 돈을 잃는다는 것에 그치지 않는다. 투자로 인한 빚을 갚기 위해 또 새로운 빚을 내면서 상황이 더욱 악화되기 때문이다. 그렇다고 아예 투자를 안 할 수는 없다. 앞서 언급한 '벼락거지'라는 말처럼, 근로소득으로만 방대한 자산을 모으는 것은 한계가 뒤따른다. 특히나 나와 같은 20대는 이러한 점에 더욱 공감할 것이다. 20대 초반이 되고 나서는 그 전과 다르게 돈을 써야 하는 곳도 많아지고 씀씀이도 훨씬 커졌다. 각자의 상황에 따라 많은 20대가 아르바이트를 하는데 학업생활을 병행하다 보니 많은 시간을 할애할 수도 없어 단순 용돈 벌기에 그친다. 대개 20대가 되면 부모님으로부터 어느 정도 경제적인 독립을 할 수 있을 것이라고 생각하지만 아르바이트로 한 달 생활비를 충당하기란 턱없이 부족하다. 요즘은 하루 한 끼에 카페 음료 한 잔만 사 먹어도 15,000원이 훌쩍 넘는 고물가 시대이기 때문이다. 혹자는 소비를 조금 줄이면 되지 않느냐고 말한다. 다만 말처럼 쉽지 않다. 소비를 통제해서까지 소득의 증대를 원하는 사람도 많지 않을 것이고, 현실적이지도 않다.

예전에 친구들과 함께(당시 유행했던 무지출 챌린지까지는 아니었지만) 일주일 간 적게 쓰기에 도전했다. 이른바 저지출 챌린지를 한 것이다. 일주일 동안 편의점 삼각김밥으로 밥을 때우고 최대한 교통수단도 타지 않고 걸어 다니며 허리띠를 꽉 졸라매고 돈을 아꼈다. 우선 챌린지 과정 자체가 너무 힘들었다. 쓰고 싶은 것은 둘째 치고, 써야 하는 돈을 아껴야 했기에 도저히 버틸 수가 없었다. 이렇듯 적절한 소비는 필요하다. 소득의 일정 부분에서 소비가 차지하는 비중이 있는데, 억지로 틀어막는다면 그것이 행복한 금융생활이라고 할 수 있겠는가? 필요한 돈을 줄이는 것은 쉽지 않을 뿐더러 제한적이다. 그렇기에 용돈이나 한 달 생활비를 쓰고 남은 돈으로 투자라는 나름의 소득 불리기를 하려는 20대 초반이 많아지는 것이다. 주로 드라마틱한 소득 증가가 어려운 저축 같은 안정적인 투자는 피하고 가장 접근하기 쉬우면서 단기간에도 돈을 벌 수 있는 주식 투자에 뛰어들고는 한다. 극단적으로는 코인에 투자를 하는 20대도 적잖이 있다. 이 중에 과연 몇 퍼센트의 20대가 해당 투자에 대한 이해를 바탕으로 투자한다고 할 수 있을까?

한국은행과 금융감독원이 2022년에 진행한 금융이해도 조사에 따르면 국민의 전체적인 수준은 소폭 상승했지만 금융지식, 금융태도 등 모든 부문에서 고소득층과 저소득층의 차이가 심화됐다. 슬프게도 돈을 많이 벌기 위한 지식수준마저 빈익빈부익부가 실현되고 있다. 많은 20대가 속한 저소득층은 제대로 된 경제관념을 갖추는 것조차 쉽지 않다는 것이다. 소득 격차는 벌어지고, 자산은 많이 늘리고 싶은 상황에서 탄탄한 경제관을 먼저 갖추는 것을 간과하고 있다. 또 이 조사에서 흥미로운 조사결과를 발견했는데 투자하고자 하는 금융상품 또는 금융서비스를 고를 때 친구·가족·지인의 추천에 의존하는 비율은 58.4%에 달한다. 각자의 투자 스타일도 다르고, 경제관도 다를 것인데 그저 추천에 의존한 투자는 실패로 이어질 확률이 높다. 성공한 사례만을 동경의 대상으로 삼은 채 자신도 그렇게 성공할 것이라고 굳게 믿고 따라가곤 한다.

사회로 갓 나온 이 책에서는 20대가 자신만의 뚜렷한 경제관을 먼저 갖추는 것이 아니라 무작정 투자에만 몰두하는 사회적 현상을 이코노미스(Economiss : Ecomony+miss)로 정의하기로 했다. 말 그대로 경제를 놓치고 있는 20대가 많아지고 있다. 20대는 금융 상품에 유튜브 영상이나 인스타그램의 게시물, 숏폼 콘텐츠로 접하게 된다. "#많이", "#빠르게"라는 키워드에 현혹돼 위험한 투자에 발들이고 잘못된 경제관으로 재테크에 다가가는 일이 허다하다. 전반적인 경제의 흐름이나 이해에 대한 부분에는 무지하고 그저 수익 올리기에만 혈안이 되어 있는 것은 문제가 있다.

경제생활을 시작하는 사회초년생. 20대 초반에 경제 기본기를 놓치고 자산 불리기에 어려움을 겪는 사람들이 많다. 돌이켜보면 우리는 제대로 된 경제 교육을 받을 기회가 없었다. 초·중·고등학교에는 경제가 의무교육으로 포함되어 있지 않기 때문이다. 그나마 최근 고교학점제로 교육과정이 개편되면서 선택 과목으로 편성된 경제 수업마저도 인기가 떨어진다. 대학수학능력평가와 직접적인 연관도 없을뿐더러 '경제' 과목을 탐구과목으로 선택하는 학생은 극히 드물다. 더군다나 현실적으로 경제는 인문계열 대학 진학을 희망하는 학생만 선택할 수 있으니 말이다. 즉, 경제 교육이 필요에 따라서 선택되는 것은 둘째치고, 선택조차 받지 못하고 있다. 수능을 향해 달려가는 학생들에게 경제라는 생소한 과목은 성적에 리스크가 될 뿐 '필요한 교육'이라는 생각이 들게끔 하지는 않는다. 매년 한국에서는 교육계로부터 경제, 금융 교육 확대의 필요성을 주장하는 목소리가 나오고 있다. 일부 경제 과목이 개설되기는 했어도 경제학 원론을 축소시킨 이론 중심의 과목이 대부분이다. 미래의 자산을 어떻게 불려나갈지에 대해 알려주는 것과 재무 계획을 설계하는 법을 알려주는 미래 지향적인 경제 교육은 사실상 이뤄지고 있지 않다. 금융감독원은 이러한 금융 교육의 부재를 막고자 '1사 1교'라는 프로그램을 실시한다. 각 학교와 지역의 금융 관련 기관이 협력해 기업 차원에서 금융 교육을 제공하는 방식이다. 이러한 금융 교육 시스템은 큰 비용의 공적 자원을 투입하지 않고 학교에서 학생들이 금융을 접할 수 있는 기회는 정량적으로 늘어난다. 하지만 기업의 경제 교육마다 차이가 있고, 주로 특강 형태로 진행되는 금융 교육은 단발성으로 끝날 확률이 높다.

영국과 같은 나라에서도 직접 공영으로 금융 교육을 펼치는 것이 아닌 민간 금융 교육을 펼치고 있다. 하지만 영국의 경우 비영리단체를 중심으로 탄탄한 커리큘럼과 연령별 교육 시스템이 견고하게 자리 잡고 있다는 점에서 차이가 있다. 그냥 민간에 교육을 내던지듯 맡기는 것이 아니라 민영 차원의 교육이 가지는 장점을 극대화해 금융 교육을 실시하는 것이다. 그러다보니 국내에서도 정치권을 비롯해 다양한 분야에서 금융 교육의 제도화를 서두르자는 의견도 지속적으로 나오고 있다. 금융에 대해 무지한 '금융문맹'의 문제 해결을 위해 어렸을 때부터 돈과 자본을 대하는 방식을 가르치는 금융 교육이 필요하다는 것이 그 이유다. 타당성을 지닌 이러한 의견과는 달리 금융 교육의 제도화는 생각보다 장애물이 많다. 우선 한국 교육의 초점 자체가 수능에 맞춰져 있기 때문에 이를 의무교육으로 편성할 시 전체적인 교육 커리큘럼에 문제가 될 수 있다는 지적이 있다. 또한 금융 교육은 실과, 기술·가정과 같은 과목 등에서 직·간접적으로 다루고 있기에 굳이 별도의 금융 교육이 필요하지 않다는 목소리도 적지 않다. 따라서 금융 교육 의무 관련 법과 제도 마련만이 해결책은 아니라는 시선도 존재한다.

2. 무리하게, 무모하게, 무지하게 이뤄지는 20대의 투자

이렇듯 당분간은 극적인 금융 교육 과정 개편이 힘들 듯하다. 순위에 민감하고 아직까지 수능 중심의 교육이 펼쳐지는 한국의 교육 현실 속에서 금융 교육은 뒷전이 된 것이다. 이러한 금융 교육의 부실함은 사람들의 금융 학구열을 다른 매체를 통해 풀도록 유도한다. 20대는 SNS나 유튜브와 같은 플랫폼을 통해 금융 교육에 눈을 뜨고 있다. 간단명료하면서도 눈에 잘 띄는 금융 관련 계정이 급성장하고 많은 사람들에게 인기를 끌고 있다. 하지만 결국 이러한 제작물도 사람들의 흥미를 유발하는 데 있어 자극적인 요소를 배제할 수 없다는 점이 특징이다. 조회수와 좋아요를 겨냥한 콘텐츠들이 압도적으로 많아진 것도 그 이유다. 최대한 많은 사람들에게 노출시키고, 노출된 이용자들이 공유하고 재창출하는 과정을 유도하기 위해서 강렬한 것들로 그들을 이끈다. 재테크를 하기 전 경제 관련 기본기를 쌓을 수 있는 교육 콘텐츠는 전무하고 '좋은 주식 종목을 선택하는 법', '빠르게 부자 되는 법'과 같이 바로 실전에 투입될 수 있는 경제 관련 요령들을 담은 콘텐츠가 주로 살아남고 있다. SNS나 유튜브가 가진 장점이 뭔가? 비전문적이고 체계적이지 않더라도 충분히 주목받을 수 있는 콘텐츠를 생산하고 공유할 수 있다. 이런 장점은 재테크 초보들에게 되레 좋지 않은 영향을 끼치게 된다. 왜냐하면 주로 SNS에서의 콘텐츠는 특정 투자의 극적 성공 케이스가 즐비하고 특정 금융 상품 투자로의 유입을 유혹하기 때문이다. 대부분 저축과 같은 안정적인 투자 권장 콘텐츠를 찾아보기 힘들며 일반적인 상품으로의 유입은 타깃으로 삼지 않는다.

또한 소득의 증가가 반드시 투자로만 이뤄지는 것은 아니다. 불필요한 소비를 지양하고 하나둘씩 줄여가는 것도 소득을 늘리는 방법 중 하나다. 자신의 파이를 늘리는 것도 중요한 방법이지만 본인이 가진 파이를 최소한으로 줄이는 것도 필요한 것이다. 하지만 단연코 이러한 소비 관련 콘텐츠를 주로 다루고 있는 계정은 흔하지 않고 사람들의 수요도 적다. 단편적으로 단기간에 빠르게 돈을 버는 것을 그저 방법 측면에서 알려줄 뿐 그 금융 상품이 어떻게 자본주의 시장경제에서 돌아가고 있는지 알려주는 콘텐츠도 극소수다. 이는 사실 콘텐츠 공급자만의 문제라고 보기는 어렵고, 수요자가 적으니 자연스레 콘텐츠 생산 의지를 떨어뜨리기도 한다. 경제는 흐름이 중요한 분야다. 다른 분야와 단절되어 있는 것이 아니라 다양한 분야로부터 영향을 주고받으며 상호작용하고 있다. 그 흐름을 관통하고 있는 자가 성공에 한 발짝 더 다가갈 수 있는 것이다.

경제의 '경' 자도 모르고 투자부터 하는 것은, 수영을 배울 때 처음부터 '음파음파'와 같은 호흡법부터 숙지하는 것이 아니라 레인을 왔다갔다 자유자재로 수영하기를 바라는 것이다. 초반에는 원하는 걸 빨리 배울 수 있어 좋다고 느끼겠지만 그러면 나중에 숨이 차서 완주할 수 있을 리가 만무하다. 그리고 장거리 레이스로 갈수록 숨을 헐떡이며 금세 포기하고야 말 것이다. 금융감독원과 19개의 시중 은행이 최근 조사한 바에 따르면 2023년 3분기 주택담보대출 연체율이 또 20대가 압도적인 수치인 0.24%를 기록했다. 한 해 전인 2022년의 두 배에 달하는 수치로, 금액 또한 7,600억 원에서 1조 5,600억 원으로 대폭 늘었다.

사회생활을 갓 시작한 20대가 남들을 따라서 섣불리 영끌한 후 고금리로 인해 원리금조차 갚기 힘든 상황에 놓인 것이다. 또한 주식에서는 2차전지 종목을 중심으로 일부 종목의 주가 상승에 너도나도 갑자기 몰려드는 투자 현상을 보였다. 빚까지 내어가면서 주식 투자에 올인한 20대는 주가가 반토막 나면서 또다시 좌절했다. 일부 주식 종목 쏠림 현상은 '한국 증시의 후진적인 투자 문화'라는 냉철한 지적이 뒤따른다. 사실 그 중심에는 주식투자에 멋모르고 뛰어든 20대가 있다. 이러한 투자를 보여준 20대의 재무 건전성 즉, 경제적 안정성 측면에서 많은 문제가 제기되고 있다. 왜냐하면 20대의 자산이 타격을 입으면 소비가 자연스레 줄어들고 그렇게 되면 사회 전반적인 경제 상황 자체가 위축될 수 있기 때문이다. 투자에 대한 결과가 성공적으로 이어지기가 여간 쉬운 일은 아니며 그냥 이뤄지는 것도 아니다. 하늘에서 돈이 뚝 떨어지지 않듯, '투자=성공'이라고 생각하는 것은 투자에 대한 잘못된 관념이다.

투자를 하기 위해서는 해당 금융 상품에 대한 탄탄한 이해력도 바탕이 되어야 하며 끊임없이 변해가는 흐름 속에서도 굳건히 버틸 수 있어야 한다. 주식 투자의 경우만 봐도 주가가 오르는 상승장, 주가가 떨어지는 하락장을 판별하기 위해서 고려해야 할 요소가 이만저만이 아니다. 해당 종목의 기업이 성장하고 있는지 퇴보하고 있는지. 잠시 주식 시장 전체가 호황 혹은 불황으로 인해 주가가 요동친 것은 아닌지. 이런 것들을 다 고려하려면 한 가지의 요소만 고려되어서는 안 된다. 그러니 가장 기본적인 것도 잘 모르고 투자에 뛰어들고자 하는 생각은 지극히 어불성설이 아닐 수가 없다.

이처럼 경제를 배우는 것은 소득 증대의 가장 밑바탕이 된다는 점에서 필요하다. 더불어 경제 공부는 경제 사기 예방할 수 있다는 점에서도 필요하다. 금융사기로부터 가장 취약한 연령층은 아무래도 노년층과 사회에서 금융 생활을 한 지 얼마 되지 않은 20대다. 매년 금융범죄 수법은 진화하고 더욱 악랄해지고 있다. 요즘처럼 다양한 디지털 매체를 활용할 수 있는 환경은 쉽게 금융범죄에 노출될 수 있게끔 하기 때문에 항시 경계태세를 갖춰야 한다. 하지만 제대로 된 준비를 갖추고 있지 않은 무방비 상태라면 눈 뜨고 코 베일 수 있는 안타까운 상황으로 이어진다. 사기는 평상시에는 자기가 피해자가 될 것이라고 생각지 않다가 한순간의 잘못된 판단이 돌이킬 수 없는 피해가 되어버리곤 하기 때문이다. 이러한 불필요한 피해를 입지 않기 위해서는 경제 공부를 통해 금융사기에 대해 인지할 수 있는 능력을 길러야 한다.

3. 경제 공부의 필요성, 두 번의 투자 실패로 뼈저리게 느꼈다.

경제에 대해서 이야기를 하고 있기는 하지만, 또래에 비해 월등히 잘 알고 있다거나 재테크에 발을 담근 지 오래된 것은 아니다. 그저 알바를 통해 벌어온 수익을 조금이나마 창출하고자 재테크에 입문하게 됐고 무엇보다 재테크에서 여러 번 실패한 경험이 있기에 경제 공부의 필요성을 느꼈다. 먼저 첫 번째 실패는 바야흐로 2년 전 20살 때였다. 대학교에 입학하고 패스트푸드 알바를 하며 번 조금의 돈으로 나름의 투자를 해보고 싶었다. 그리하여 조금의 수익이라도 모으기 위해 적금에 가입하고자 한 은행을 찾았다. 흔히 우리가 알고 있고 많이들 가입하는, 한 달에 정해진 금액 넣고 이자를 받는 적금을 넣고자 했다. 그런데 그때 은행원이 일임형 ISA 상품으로 가입해 보는 건 어떻냐고 권유했다.

ISA 상품은 쉽게 말해서 다양한 금융상품을 하나의 계좌로 함께 투자할 수 있는 개념의 상품이라고 할 수 있다. 은행에 예치된 금액으로 채권, 주식 등 곳곳에 투자할 수도 있고 이에 따른 이자를 돌려받는 형식이다. 그중에서도 일임형 ISA는 금융지식이 다소 낮고 일일이 투자할 상품을 고르지 않고도 은행에서 고객의 투자 성향에 맞게 자동으로 분배해 투자하는 방식으로 진행된다. 첫 번째로 ISA 상품은 세금을 많이 떼 가지 않는다는 점, 그리고 두 번째로 당시 재테크에 대해 복잡하게 생각하고 있어서 은행에 전적으로 위임할 수 있었다는 점이 점차 나를 가입으로 이끌었다. 그리고 친절한 은행원이 본인의 성공 사례를 직접적으로 언급하면서 투자 모델까지 추천해 주셔서 마음 놓고 가입하게 됐던 것 같다. 나는 은행원을 믿고서 어느 정도의 위험을 감수하되, 꽤 높은 수익을 낼 수 있는 공격형 모델을 선택했다. 달마다 10만 원씩 다섯 달 정도를 넣었다. 원금만 50만 원 정도가 된 것인데 처음 한두 달은 생각보다 이자가 안 쌓여서 걱정했다. 그래도 나중에는 적금처럼 만기되었을 때 원금에 두둑한 이자까지 더해 돌려받기를 원했다.

하지만, 이것은 망해가는 기조의 시작점에 불과했다. 점차 시간이 지나서는 마이너스가 됐다. 원금의 10%에 해당하는 금액인 5만 원이나 줄어든 것이다. 그때 가입하고자 했던 적금의 이자율이 3~4%였으니 5%의 손해는 내가 상황을 이해하고 받아들이기에는 굉장히 조급해졌다. 채권, 주식처럼 변동성이 큰 다양한 상품들이 포함되어 있었기에 원금 손실의 위험은 안고 갔어야 했다. 더군다나 나는 공격형 모델을 선택했기 때문에 상대적으로 변동 폭이 더욱 컸을 테니 말이다. 하지만 좀처럼 상승의 기미가 보이지 않더니 결국 거의 8만 원의 원금 손실까지 이어졌다. 8만 원이 되고 나서는 언제 더 떨어질지 모르겠다는 마음에 바로 손절, 즉 손해를 감수하고 끊어버렸다. 그때의 50만 원 그리고 잃어버린 8만 원은 내게 꽤 큰 금액이었다. 당시 아르바이트로 한 달에 50만 원도 못 벌고 있었을 때 10만 원이라는 금액을 투자한 것은 대단한 용기였기 때문이다. 그래도 내가 선택할 수 있는 요소도 별로 없고 믿음직한 1금융권의 금융상품을 이용했는데도 많은 금액을 잃은 것이니 상심이 꽤 컸던 것 같다. 그래서 실패할 수밖에 없었던 이유를 곰곰이 생각해봤다. 우선 ISA 계좌 개설을 하고 나서부터는 나도 모르게 어플을 통해서 자꾸만 금액 변동을 살펴봤던 것 같다. 아무래도 초반에는 공격형 모델이었기 때문에 수시로 이자가 확확 불어가기를 원하는 마음에서 들어가봤던 것 같다. 하지만 나중에 가서는 더 떨어지지 않을까 하는 조마조마한 마음으로 들어가서 살펴보고는 했다. 결론적으로 계좌를 들여다 보느라 너무 많은 시간을 허비했다.

제대로 ISA 상품을 이해하지 않고 투자한 것이 아니었기에 이는 조급함과 불안함으로 이어졌다. 그리고 은행원이 추천한 공격형 모델은 결국 자기 자신이 투자해서 성공한 케이스에 해당되는 것이고 내 투자 성향과는 맞지 않았을 것이다. 애초에 나는 단기간에 방대한 소득을 얻기보다 차근차근 돈을 쌓아보자는 취지에서 적금에 가입하고자 했고 서두를 것이 없었다. 애초에 그 분이 예치한 적금과 생각해 둔 기간이 나와는 전혀 달랐다. 당연히 나보다는 금융 지식도 풍부할 거고 다양한 투자 경험에서 비롯된 자신의 경제관을 뚜렷하게 갖추고 있었을 것이다. 나는 그저 내가 생각한 목표와

달랐음에도 순간의 수익 창출 유혹을 이기지 못해 가입했다가 탈이 나고 말았다. 이때 깨달았다. 투자라는 것은, 적어도 투자하고자 하는 것에 대해 줄줄이 꿰고 있을 만큼 잘 알고 있어야 함을.

내가 재테크에 대해 제대로 공부를 해야겠다고 생각한 것은 올해 또 하나의 에피소드를 겪으면서이다. 엔저현상이라는 말 들어본 적 있을 것이다. 쉽게 말해서 평상시보다 우리나라의 원화에 비해 엔화의 가치가 많이 떨어진 상황을 말한다. 오는 겨울 나는 친구들과 함께 일본 오사카로 여행을 떠난다. 일찌감치 비행기와 숙소도 잡을 정도로 여행 계획을 어느 정도 세워뒀었다. 2022년 말부터 엔화의 가치가 떨어지고 있다는 뉴스를 접했고 오사카로의 여행을 확정지은 때부터 나는 엔화 환전 타이밍을 잡고 있었다. 1엔당 930원 정도 하던 시점에 나는 냅다 30만 원 정도를 환전했다. 이때 일본에 대해서 좀 잘 알던 사람들이 너도나도 지금이 적기라면서 꼭 사두라는 말을 내게 전해줬다. 그러나 희한하게도, 적기라던 엔화 구입 시점은 좀처럼 시간이 지나도 오르지 않았다. 그래서 일단 나는 기다려보기로 했다. 나머지 여행 경비를 모두 환전하고자 했지만 혹시나 환율이 떨어질지도 모르는 상황에서 엔화와 관련 뉴스란 뉴스는 죄다 살펴보며 엔화 살 타이밍을 봤다.

그러다가 자꾸 떨어지던 엔화의 가치는 결국 900원대까지 붕괴됐다. 800원 후반이 됐고 이보다 더 좋은 타이밍을 잡는 것은 어렵다는 생각이 들었다. 그래서 이번엔 조금 더 과감하게 50만 원을 환전했다. 이쯤 되면 생각보다 많이 환전하는 것 같다는 생각이 드는 사람도 있을 것이다. 5박 6일의 장기 여행이기도 했고 첫 해외여행이다 보니 이것저것 지인들에게 줄 기념품도 사고 싶고 맛있는 것도 많이 먹고 싶다는 생각에 넉넉하게 환전을 해야겠다는 생각했다. 이제는 환전을 굳이 할 필요가 없겠다고 생각해서 당분간은 엔화에 손 떼고 있었다. 그러던 어느 날 황당한 소식을 접하게 된 것이다. 어느 날 엔화가 850원대 수준까지 하락했다는 뉴스가 떴다. 몹시 배 아파서 어찌할 도리가 없었다. 그러나 돌이켜 보면 매번 엔화를 살 때마다 여러 뉴스에서 이제는 일본 정부 엔화가 환율 조정 정책을 펼친다고 말했고 여러 경제 전문가들도 지금이 적기라는 말을 하는 사람들이 많았다. 물론 그들의 말을 전적으로 믿고 샀다고 할 수는 없기에 탓도 원망도 할 수는 없었지만 살짝 후회가 되기는 했다. 그런데 또 생각을 해보니까 너무 욕심을 부리는 꼴이 된 것 같기도 하다.

평소에는 엔화에 관심도 없다가 여행 갈 때가 되니 엔화에 대해서 알아본 그 얕은 지식으로 많은 이익을 얻고자 함은 너무 큰 바람이었다. 내가 엔화를 바꾼 시점도 예년보다는 엔화의 가치가 많이 떨어졌고 충분히 환차익(환율로 인한 수익의 차이)을 얻었던 것이다. 그래서 제대로 된 투자를 할 거면 확실히 투자 종목에 대한 이해가 바탕이 되고 난 다음에 수익에 대한 기대를 걸어야겠다고 마음먹었다. 더불어, 로또 당첨과 같은 우연성에 기대는 것은 지양해야겠다는 생각이 들었다. 제대로 알고 제때 투자하는 것이 더욱 옳은 일이라는 것을 스스로 깨달은 셈이다. 빚을 갚을 능력이 없는 사람이 무모하게 위험한 투자를 하는 것을 보면 뜯어 말리고 싶은 이유다. 나는 두 번의 실패로 내 투자 스타일을 파악할 수 있었고, 그렇기에 더욱 재테크 공부의 필요성도 몸소 느끼게 됐던 것이다. 남들이 하니까 똑같이 따라가는 사람이 모두 성공했다면 지금처럼 이렇게 소득 격차가 벌어지는 사회 현상이 나타났을까. 그리고 재테크에 있어서 가장 중요한 것은 목표 설정이라는 것을 뼈저리게 느끼게 됐다.

4. 부자 되기, 속력보다 방향성과 목표 설정이 더 중요해

재테크의 목표는 자신의 경제 상황과 투자 성향을 비롯한 투자에 영향을 줄 수 있는 여러 요소를 고려해서 정해야 한다. 목표가 없으면 자꾸 흔들리게 되고 조급해진다. 그러다 보면 투자를 해도 불안할 것이고 시간도 많이 뺏기게 된다. 이룰 수 있는 가능성이 높은 목표를 정한 후에 하나하나 이뤄가는 성취감을 느껴가는 것도 중요한 포인트다. 목표를 세우기 위해서는 자기에 대한 객관화가 필요하고 자신이 하고자 하는 투자에 대해 잘 이해하고 있어야 한다.

부를 단기간에 축적하기 위한 방법으로는 어떤 것이 있을까? 대표적으로 생각나는 것으로는 복권 당첨이 떠오른다. 말 그대로 당첨만 되면 돈이 벼락처럼 쏟아지는 일이 생기는 것이다. 또 다른 방법으로는 등산을 하다가 살짝 튀어나온 돌부리에 넘어졌는데 알고 보니 금괴를 묻어놓은 곳이었던 것임을 알게 되는 것이다. 갑자기 무슨 생뚱맞은 헛소리를 늘어놓냐고 할 수 있다. 지극히 정상적인 반응이고 이것을 의도한 것이다. 누구나 상상해봤겠지만, 일어나기에는 극히 희박한 확률의 일이라는 것은 모두가 동의하는 자명한 사실일 테다. 복권에 당첨된 사람들의 몇 년 후의 모습을 보면 당첨금을 탕진하거나 막대한 빚을 가지고 있는 경우를 종종 볼 수 있다. 그렇게 갑자기 큰돈을 마주하게 되면서 자신이 그 돈을 다루는 것이 벅차기 때문이다. 누군가 사람은 자신의 그릇이 있는데 딱 그만큼의 돈을 담을 수 있고 그 돈을 넘어가면 돈이 흘러넘친다고 한다. 경제관념이 똑바로 세워지지 않은 사람이 갑자기 큰돈을 만지게 되면 탈이 나는 것이 그 이유다. 결국 목표라는 것은 어느 정도 현실성이 있어야 하며, 목표에서 정한 예상 수익을 얻은 자산도 훌륭하게 관리할 수 있는 것이다.

현실적으로 각자의 페이스에 맞게 자산을 늘려가는 것이 그것을 자신의 마음대로 다루고 통제할 수 있는 방법이다. 결국 자신의 그릇을 키우고 앞서 정의한 'Economiss'처럼 경제에 대한 기본적인 개념과 실천 방법에 대한 것들을 놓쳐 불이익을 얻는 것을 피하자. 부자가 되기 위한 첫 걸음을 잘 내딛는 것이 좋다.

그렇다면 경제 공부는 어디서부터 어떻게 해야 하는 것일까? 투자는 운전을 배우는 것과 같다고 생각한다. 우리가 운전을 배울 때 가장 먼저 안전벨트를 매고, 기본적인 운전 장치(악셀, 브레이크, 방향지시등)에 대해 충분히 숙달한 후 운행을 한다. 이는, 경제에서 여러 금융 시스템을 먼저 충분히 이해하고 재테크를 하는 것과 같다고 할 수 있다. 그렇게 금융시스템을 이해하고 난 다음에 운전을 해 보자. 목적지를 광화

문으로 정했다고 가정하고 출발하겠다. 익숙한 곳이라도 직접 운전을 해서 가는 것은 쉽지 않은 일이다. 우리는 그럴 때 내비게이션을 참고하는데 이때, 내비게이션은 그날의 교통 상황을 고려해 가장 최적의 길을 알려준다. 경제도 마찬가지다. 정해진 답과 공식이 없다는 것이 경제가 가지는 매력이자 경제를 입문할 때 어렵게 하는 점이다. 공부를 통해 어느 정도 최고의 이윤을 낼 수 있는 투자 방법이 제시되고, 그것을 모방해 투자를 진행한다. 운전을 몇 번 하다 보면 목적지에 가는 방법을 스스로 터득하고 적용할 것이다. 자주 가다보면 언젠가는 내비게이션의 안내 없이도 척척 잘 갈 수 있는 경지에 오른다. 경제도 처음에는 다양한 경제 입문서와 전문가의 조언 및 도움으로 재테크에 발을 들이게 된다. 이 과정이 익숙해지고 재테크와 낯가리는 단계가 지나면 나중에는 자신에게 맞는 투자 방식을 선호하고 취향에 맞는 투자를 선택하게 될 것이다. 목적지인 광화문에 도착하기 위해서 운전할 때 가장 중요한 것이 무엇인가? 잘못된 방향으로 가지 않기, 사고 나지 않고 안전하게 잘 도착하기. 이 두 가지일 것이다.

경제 역시, '속력'보다 '방향'과 '목표'로의 도달이 더 중요하다. 부 축적의 목적지는 각자 다르겠지만 속력이 아닌 방향과 안정성에 초점을 맞추고 차근히 도전해 보자. 그러다 보면 분명 늘어난 통장 잔고에 흐뭇해 할 날이 올 것이다. 어떻게 공부하는 것이 좋은지에 대해 다시 한번 생각해 보자면 어느 정도의 이론을 갖추는 것이 먼저다. 그 이후에 실전 재테크에 입문하기 위한 상품별 공부를 하는 것이 좋다. 자본주의가 어떻게 돌아가고 있는지, 가격은 어떻게 설정되는지, 인플레이션은 무엇이며 어떤 경우에 오는 것인지 등에 대한 기본적인 이론을 먼저 익혀두는 것이 좋다. 하지만 원론적인 경제 공부만으로는 각자의 성격이 여러 재테크에서 성공하기가 쉽지 않을 것이다. 해당 상품에 대한 특징을 파악하기 힘들다면 직접 은행으로 가는 것도 방법 중 하나다. 은행원은 해당 금융상품을 하루 종일 설명하는 사람이고, 고객들을 가입시키기 위해 끊임없이 상품의 흐름에 대해 파악하고 있을 것이다. 은행원이 직접 설명해주는 상품의 특징을 듣고 자신이 투자하기에 적합한 상품인지 아닌지 파악하는 것이 좋다. 이런 식으로 자신에게 도움이 될 수 있는 공부를 직접 해보는 것이 좋겠다. 물론 실제 투자는 공부하는 것과 다를 수 있다. 실제 자본이 들어가기도 하고 경제는 여러 변수가 다양하게 작용하기 때문에 쉽사리 예측하기란 쉽지 않다. 하지만 준비된 사람과 막무가내로 도전하는 사람의 차이는 당연히 점점 더 벌어질 것이다. 기본적인 이해를 바탕으로 투자에 임하는 태도 또한, 재테크를 장기적으로 끌고 갈 수 있는 중요한 포인트이기 때문이다.

5. 자기 자신만의 투자 스타일을 찾고, 끊임없이 공부하자.

자신의 투자 성향이나 자신에게 맞는 스타일을 어떻게 찾는지에 대해서 감을 잡지 못하는 사람도 많을 것이다. 두 가지의 방법을 추천한다. 첫 번째로 가계부 분석이다. 요즘에는 굳이 종이 가계부를 사서 운용할 필요까지는 없다. 클릭 몇 번으로, 자신이 보유한 계좌와 카드 정보의 인증을 거친 후 등록할 수 있는 가계부 어플이 충분히 많다. 세 달 정도 소비와 투자를 하기 위한 예산을 짜보고 어떤 식으로 흘러가는지 살펴보는 것도 좋다. 소비 패턴으로 투자 성향을 파악할 수 있다. 가계부를 쓰는 것에 그치는 것이 아니라 해당 상품을 구매했을 때 과연 얼마나 필요해서 구매한 것인지 되돌아볼 수 있는 시간을 마련하는 것도 좋다. 이 과정에서 내 돈이 빠져나갔을 때 어떤 태도를 취하는지 알 수 있다. 절대적이라고 할 수는 없지만 소비가 신중한 편이라면 투자를 할 때에도 안정적인 자산을 선호하는 것도 그 이유에서 찾을 수 있다.

두 번째 방법은 모의투자를 해보는 것이다. 20대 초반에서 가장 쉽게 접할 수 있는 투자 중 하나인 주식은 생각보다 종목도 다양하고 투자하기 위해서 갖춰야 할 지식들이 많다. 일부 모의투자 어플에서는 실제 주식의 변동률을 적용해 모의로 주식을 사고 파는 경험을 해볼 수 있다. 그러다 보면 자신이 어떤 투자 성향을 지니고 있는지 자연스럽게 우러나게 된다. 사실은 자본을 투입하는 것만큼이나 언제 다시 회수할지에 대한 타이밍도 중요하다. 우리가 흔히 이런 상황에서 제대로 된 타이밍을 노리지 못하면 '물렸다'라고 표현하곤 한다. 이런 갑작스러운 상황들에 대한 대처 능력을 기르고 실제와 동일한 투자를 해보는 것은 분명 큰 도움이 된다. 이 두 가지의 방법으로 자신의 금융 성향을 파악하기. 이것은 가장 먼저 이뤄져야 하기도 하지만 가장 중요한 투자의 첫 발판이다.

또한 어렵더라도 경제 신문, 하다못해 경제 기사를 읽는 것에 익숙해지는 것을 추천한다. 사회나 과학 기사처럼 흥미가 생기지는 않을 것이다. 여러 이유 중 하나는 경제 용어들은 주로 외래어가 많고 듣고서 의미를 바로 떠올리기 쉽지 않은 것들이 많다. 잘 모르는 용어는 사전에 검색도 해보면서 하루가 멀다하고 빠르게 변해가는 경제의 흐름에서 뒤처지지 않으려는 노력이 필요하다. 경제 공부는 어쩌면 따분하고 어려운 것일 수 있지만 사회의 전반적인 시스템을 이해하는 것도 도움을 준다. 공공재든 민간재든 어느 하나 돈이 투입되지 않는 자본은 없기 때문이다.

끝으로 경제 공부와 더불어 성공적인 재테크를 하기 위해

해나가면 좋을 것 하나를 추천한다. 쉽지 않겠지만 소비를 줄여가는 것이다. 앞서 얘기한 대로 가계부를 분석해보고 불필요한 소비를 줄여가는 것은 필요하다. 불필요한 소비를 줄여서 투자를 위한 돈. 즉, 시드머니로 사용할 수도 있기 때문에 필요한 과정이라고 할 수 있다. 막상 소비를 줄이라는 말에 반감을 가지는 이들이 많을 것이다. 하지만 분명 자기도 모르게 새고 있는 돈을 발견하는 순간이 온다. 초반에 언급했었던 저지출 챌린지처럼 일반적으로 생활하는 데 방해될 만큼 소비를 줄이라는 것은 아니다. 옷을 살 때도 과연 사서 몇 번 정도 입을지, 가끔 먹는 야식도 좋지만 다음날 일어났을 때 후회하지는 않을지. 이런 식으로 한 줌의 고민만 얹으면 불필요한 소비를 줄여나갈 수 있을 것이다.

근로소득과 더불어 투자로 얻은 소득으로 찬찬히 부자가 되어가는 것. 경제를 잘 모른다면 무리하게 투자부터 하지 말고 먼저 재테크 공부부터 해야 한다. 그런 다음 돈이 인생의 전부는 아니지만, 돈 때문에 인생을 허비하지 않도록 현명한 투자를 하자. 투자하기를 로또나 도박처럼 한탕 노리는 것으로 여기지 않고 겸손하고 낮은 태도로 때를 기다리는 묵직한 한방을 침착히 기다리는 자세가 필요하다. 부유하지 않아서 좌절할 필요가 없고, 자신도 충분히 부자가 될 수 있다는 믿음을 가지자. 자본주의 사회에서 자꾸만 벌어지는 소득격차를 줄여나가기 위해서는 금융지식을 갖추고 있어야 하는 것이 중요한 이유다. 배우는 것을 두려워 말고 하나씩 배우다 보면, 어느새 자신이 정한 목표 지점에 도달할 것이다.

6. 책의 다른 저자에게 물었다.
- 본인에게 재테크란 무엇이며,
재테크에 대해 얼마나 안다고 생각하는가?

• **정준영**

"재테크에 대해 지금도 아는 것이 많지 않다. 과거엔 용돈이나 아르바이트를 하면서 번 돈도 쓰기에 바빴다. 하지만 지금은 수익의 일정 비율을 적금하고 있고, 부모님이 어렸을 때부터 줄곧 내 명의로 적금해오신 통장이 있다는 것도 알게 되었다. 이제 막, 재테크를 시작했으니 열심히 공부해서 자산을 늘려가고 싶다."

• **강영흠**

"나의 꿈은 돈많은 백수이다. 아마 나의 꿈을 이루기 위해선 재테크를 배워 돈을 굴려야 할 것이다. 하지만 나는 경제이론, 경제이슈 등 경제 자체에 무지하고 무관심하다. 그러면서 가끔 '어릴 적부터 경제 교육을 받아왔더라면…?' 하고는 한탄하곤 한다. 다만 지난 일은 잊고 앞으로를 준비해야 하지 않겠는가? 나는 이 글을 읽고 경제공부를 하면서 재테크에 차근차근 도전해보겠다."

- **김지윤**

“솔직히 재테크에 대한 무지한 상태라고 봐도 무관하다. 경제 관념이 없어서 20대들 사이에서 경제 얘기가 나오면 웃으면서 대답을 회피할 정도…. 배움의 필요성과 경제관념을 확립해 나가야할 시기임을 느끼게 됐을 때쯤, 이미 많이 늦은 건 아닌지에 대한 고민도 든다. 나에게 재테크란 진입장벽이 높은 대상이다. 그럼에도 행복한 미래를 위해 어렵지만 하나하나 배워가는 연습을 해야겠다.”

- **이가현**

“처음에는 부모님의 권유로 시작해 점점 흥미를 붙이고 있는 중이다. 솔직히 아직 재테크를 제대로 알진 못한다. 아니, 거의 모른다고 하는 게 맞겠다. 내 투자 성향 상, 안전함을 최우선으로 생각한다. 그렇기에 앞으로 재테크를 배운 후 시도하더라도 도전적인 안정적인 투자를 우선으로 하지 않을까 싶다.”

- **김시현**

“나는 재테크에 대해 완전 무지하다. 성인이 되고 나서 돈을 벌고 쓰기만 했고, 자산을 모으는 방법이나 불리는 방법은 아직까지도 잘 모른다. 더군다나 재테크에 대한 무지의 심각성도 잘 모르고 있었다. 하지만, 또래 친구들도 나름의 재테크인 적금이나 주식 혹은 투자 등을 하는 모습을 보면서 점점 관심을 가져야 할 것 같다.”

2

무비인플레이션, 앞으로 영화관은 어떻게 될까?

1. 무비인플레이션이란 무엇인가

오늘날, 영화를 보는 것은 가장 대중적인 여가 활동 중 하나이다. 이는, 예전에도 마찬가지였고 미래에도 그럴 것이다. 여전히 영화관은 가장 흔한 데이트 장소이며 영화배우는 대중들에게 선망의 대상이다. 최근 흥행한 김성수 감독의 작품이자 황정민·정우성 주연의 영화 〈서울의 봄〉은 젊은 관객들에게 12.12 군사 반란과 하나회 등 제5공화국의 배경에 대한 궁금증을 자아냈고, 이는 결국 많은 이들의 2차 탐구로 이어졌다. 이러한 사례를 보면 알 수 있듯이, 여전히 영화는 막대한 영향력을 가진 콘텐츠이다. 다만, 화제성과 작품성을 동시에 잡은 〈서울의 봄〉은 극히 예외적인 사례이다. 최근 극장을 찾는 사람은 줄고 있으며 영화관 수익 역시 당연하게도 감소하고 있다. 계속해서 적자가 이어지고 있음에 따라 한국 영화계는 시름하고 있다. 실제로 2023년 7월 한국 극장가 전체 관객 수는 1,428만 명으로, 2017년부터 2019년의 같은 시기 67.9%에 불가했다. 매출액은 1,400억 원으로 80.9%에 그쳤다. 그렇다면 왜 이런 일이 일어나는 것일까?

복합적인 이유가 있겠지만, 영화관 티켓 가격 상승이 가장 큰 이유라고 할 수 있다. 이러한 현상을 Movieinflation, 즉 무비인플레이션이라는 단어로 설명하고자 한다. 영화를 뜻하는 'movie'와 일정 기간 물가가 지속적으로 오르는 현상인 '인플레이션(inflation)'을 합친 말로, 2020년부터 매해 꾸준히 영화관 티켓 가격이 오르고 있음을 정의한다.

CGV를 기준으로, 2019년에 주중 11,000원이었던 가격이 15,000원까지 상승했다. 메가박스와 롯데시네마 등 다른 극장도 마찬가지이다. 1998년 CGV가 처음 문을 열었을 때, 영화관 티켓 가격은 6,000원이었다. 첫 번째 가격 인상은 2년 후인, 2000년으로 1,000원을 인상하여 7,000원이 되었다. 2001년엔 주중, 주말 가격 차등제가 도입되었으며(주중엔 7,000원, 주말엔 8,000원) 두 번째 가격 인상은 8년 후인 2009년에 8,000원으로 기존 가격에서 1,000원 상승했다. 세 번째와 네 번째 가격 인상은 2013년과 2016년에 각각 1,000원씩 오르면서 일어났다. 다섯 번째 가격 인상은 2018년에 일어났다. 앞서 말한 것에서 알 수 있듯이 기존 영화관 가격 인상은 한 번도 연이어 인상되지 않았다. 하지만 2020년부터는 매년 1,000원씩 증가했다. 이는 물가상승률을 고려해도 비정상적으로 빠른 가격 인상이다. 심지어 평일 일반 상영관 기준으로 주말은 이보다 1,000원이 더 높은 가격일 뿐 아니라, 아이맥스 같은 특수상영관 관람료는 2만 원이 훌쩍 넘는다. 이는 다른 세대 대비 경제적으로 풍족하지 못한 20대들이 영화를 관람할 때 더 많은 지출이 들어간다. 그로 인해, 젊은 세대는 이전보다 영화 한 편을 관람하는 것에 더 신중하게 접근한다. 이는 결국, 극장을 찾는 사람이 감소하는 결과로 이어지는 것이다.

실제로, 본격적으로 관람료가 오르기 전인 2019년에 평균 관람 시점이 개봉 후 10.9일이었지만, 2023년에는 15.1일로 4.2일이 늘었다는 SM C&C 설문조사 플랫폼 '킬리언 프로'의 조사 결과가 있었다. 그중 10대는 6.3일, 20대는 4.7일이 늘었는데 이들 세대는 다른 세대에 비해 경제적으로 여유롭지 못하다. 이로 인해 극장을 갈 때마다 신중하게 생각한다. 결국, 젊은 세대가 극장에서 보는 영화 수가 줄어들며 영화관 매출에 부정적인 영향으로 이어짐을 알 수 있다. 게다가 2019년에 한국은 국민 한 명당 1년 동안 영화 관람 횟수가 4.4회로 세계 1위였으나, 2023년 기준으로 국민의 27%가 극장을 찾은 지 1년이 넘었다는 '킬리언 프로'의 조사가 있다. 평상시에 영화 보는 것을 매우 좋아하기에 극장을 자주 찾는 편이었다. 하지만 관람료의 가격이 매우 빠르게 인상되면서 부담스러워졌다. 그러면서, 극장에서 영화를 보기보단 집에서 스마트 TV로 보거나 시간이 지나고 OTT서비스에 작품이 올라오기만을 기다렸다. 게다가 가격이 올랐기 때문에, 실패하지 않는 극장 관람을 하기 위해 평론가들과 관객들에게 모두 인정받는 영화인지, 나의 관심사와 일치하는지, 감상 후 실패했다는 생각이 들지 않는 작품인지 등 이것저것 고려할 것이 많아졌다. '킬리언 프로'가 20대부터 50대 4,301명에게 조사한 결과, 조사 대상의 80%가 티켓값이 비싸다고 답했다. 그중 25.6%는 매우 비싸다고 생각했으며, "최근에 영화 티켓값이 비싸서 보고 싶은 영화를 관람하지 못했다"라는 답변이

52.7%나 나왔다. 그 밖에도 50.3%가 티켓값을 내린다면 다시 극장에서 영화를 관람할 의향이 있다고 말했다.

2. 코로나19로 인한 영화계 비상

2019년 11월, 중국 우한시에서 처음 발생한 코로나바이러스감염증-19는 2020년 1월 20일 대한민국의 최초 발생자가 나타났고 이후 확진자 수가 급격하게 늘었다. 이에 따라 사회, 문화적인 측면에서 이전과 매우 큰 변화가 일어났다. 대표적인 여가 시설인 영화관도 이를 피해 갈 수 없었다. 팬데믹 초창기에 시행한 영화관 방역 조치는 상영관 내 좌석 간 거리두기, 상영관 내에서 물과 음료를 제외한 음식물 반입 불가 등이 있었다. 기존 수용 인원의 절반밖에 입장할 수밖에 없고, 각종 제재로 인해 방문객 수는 급격히 줄게 되었다. 또한, 방역 지침 때문이 아니더라도 사람들은 코로나19에 대한 두려움으로 극장 찾기를 꺼리게 되었다. 게다가 이러한 상황으로 인해 규모가 작고 밀폐된 상영관을 가진 작은 영화관은 문을 닫아야만 했다. 코로나19로 인한 재정적 악화를 한국 영화계는 도저히 버틸 수 없었고, 결국 관람료를 인상하는 것이 해법이라는 생각을 하게 된다. CGV는 2020년 10월 26일부터 “코로나19로 인한 영화업계 전체의 어려움이 장기화됨에 따라 영화 관람료를 인상한다.”라고 밝혔고, 11,000원이었던 기존 영화 티켓이 12,000원으로 인상됐다. 대표적인 멀티 플렉스 영화관인 CGV를 시작으로 메가박스 등 다른 영화관들도 관람료를 올리기 시작했다. 그로 인해 그동안 크지 않았던 영화관 티켓 가격의 인상률은 기존과 비교하면 비교할 수 없을 정도로 빠르게 올라갔다.

그렇다면 관람료 상승의 효과는 과연 효과적이었을까? 2020년 영화관 전체 입장 수익은 5,104억 원으로 2019년에 비교해 무려 73.3%가 감소한 수치이다. 2020년은 코로나19로 인한 타격을 직격탄으로 맞았으며 관람료 상승도 10월 말에서야 시작했기에 참작의 여지가 있다고 할 수 있다. 그러나 이듬해인 2021년에는 5,845억 원으로 2020년에 비해 소폭 상승하긴 했지만, 여전히 2019년의 30.5% 수준에 그치고 말았다. 2022년은 5,757억 원으로 상승은커녕, 전년도 대비 소폭 하락하기까지 했다. 2022년이면 본격적으로 포스트 코로나로 접어들었으나 팬데믹 이전과 비교는 물론, 위드 코로나 시절과 비교해도 전혀 나아지지 않았다. 게다가 매년 한 차례도 빠지지 않고 관람료를 올렸음을 고려하면 관객 수는 점점 줄어들고 있다. 결국, 적자를 극복하기 위한 영화관들의 급격한 관람료 상승은 오히려 효과를 보지 못한 셈이다. 또한, 영화관들은 아이돌 그룹의 콘서트를 상영하거나 단체 스포츠 관람 같은 콘텐츠 다각화, 기존 명작들 재개봉, 프리미엄 상영관이나 흥행 영화 한정판 굿즈 등을 통한 영화관만의 차별점을 강화하는 등의 노력을 기울였으나 모두 큰 효과를 보진 못했다. 이러한 노력들이 모두 수포로 돌아간 것은 결국 관객들이 가격만큼 만족도를 얻지 못하면서 극장 방문의 장점을 느끼지 못했기 때문이다.

물론, 코로나19로 인한 영화 티켓 가격 인상이 한국에서만 일어난 현상은 아니다. 일본에 토호시네마 영화관은 2018년까지 영화관 티켓 일반 요금이 1,800엔이었지만, 1,900엔으로 인상돼 2023년 6월부터 2,000엔으로 가격을 올렸다. 미국 역시 마찬가지이다. 대형 멀티플렉스 업체인 AMC는 3월부터 같은 상영관이라도 자리에 따라 가격을 차등 분배하기로 하였는데, 스크린으로 고개를 올려 봐야 하는 앞 좌석은 싼 가격에, 중간 좌석은 비싼 가격에 파는 것이다. 또한 블록버스터 영화들의 경우, 가격을 올리는 등의 변화를 줬다. 영화진흥위원회에 따르면 2019년 이후 코로나19를 거치면서 3년간 각국의 영화 관람료 인상률은 인도 28.1%, 멕시코 22.1%, 한국 21.8%, 미국 15%로 한국만 인상률이 높은 건 아니었다. 이는 다른 나라 역시 같은 기간 동안 영화계 전체가 어려움을 겪고 있는 것에 의한 결과물이 아닐까 싶다.

3. 영화관을 위협하는 OTT의 급부상

OTT는 Over The Top의 약자로 인터넷을 통해 영화, TV 프로그램 등의 다양한 콘텐츠를 사용자에게 제공하는 서비스이다. 대표적인 OTT 업체로는 TVING, 쿠팡플레이, NETFLIX, 디즈니+, 왓챠 등이 있다. 이러한 OTT의 등장은 극장에 가서 관람하는 기존의 방식과 다르며 영화계 전반적으로 큰 영향을 끼쳤다. OTT가 생긴 초반만 해도, 대다수의 영화감독들은 극장에서 관람하는 영화가 진짜 영화이며 본인들의 작품이 OTT로 소비되거나 아예 OTT 업체에서 직접 제작하고 서비스하는 오리지널 콘텐츠를 만드는 것에 대한 거부감을 드러냈다. 그러나, 현재는 상황이 매우 달라졌다. 봉준호 감독의 <옥자>가 넷플릭스에서 배급을 할 때만 해도 영화계 전반에서는 논란이 많았다. 실제로 세계 영화인들의 이목이 집중되는 칸 영화제에서 <옥자>가 상영될 때, 넷플릭스 로고가 뜨자 청중들은 야유하기도 했다. 그러나, 지금은 상황이 많이 달라졌다. 영화 제작사와 감독 입장에서 OTT에 콘텐츠를 제공하는 것은 매우 매력적인 제안일 수밖에 없는 상황이 된 것이다. OTT와 극장 두 군데에서 모두 영화를 개봉하는 것은 그 영화의 일정 지분을 OTT 업체에서 산 것이라고 봐야 한다. 이 지분을 사는 과정에서 당연히 OTT 업체는 제작사에 돈을 준다. 제작사 입장에서는 극장에서 단독 개봉해 흥행에 실패하기보다 OTT에 서비스를 제공하며 받는 돈으로 흥행에 대한 부담감을 덜 수 있다는 장점이 있다. 감독의 경우, 만약 OTT 오리지널 영화의 감독을 맡게 된다면, 역시 흥행에 대한 위험 요소는 줄면서 막대한 지원으로 본인이 평상시에 하고 싶었던 도전을 마음껏 펼칠 수 있다. 이런 장점은 마틴 스코세이지같은 아카데미 감독상을 수상한 거장 영화감독들도 넷플릭스와 협업하게 만들었다.

이렇게 좋은 면만 있는 것 같은 OTT이지만 영화관 입장에서는 눈엣가시일 수밖에 없다. 앞서 언급한 '틸리언 프로'의 설문조사에서 영화관에 자주 가지 않는 이유 중 "OTT로도 충분해서"가 "가격이 비싸서(40.2%)"와 "볼 만한 영화가 없어서(28.3%)"에 이어 26.9%로 3위를 차지했다. 가장 대표적인 OTT 서비스인 넷플릭스의 경우, 월 요금제가 스탠다드일 시 13,500원이고 프리미엄이면 17,000원이다. 주중 영화관 가격과 비슷한 가격으로 한 달 동안 수많은 콘텐츠를 즐길 수 있다. 가격 면에서 극장이 상대가 되지 않는 것이다. 물론 극장에서 보는 것과 집에서 OTT 서비스를 이용하는 것은 질적 차이가 존재한다. 그러나, 영화를 정말 사랑하는 시네필이나 평론가가 아닌 일반 관객들에게 그 질적 차이는 기간과 양으로 충분히 극복할 수 있다. 영화 관계자들은 OTT를 이용해서는 영화의 깊은 감상이 불가능하고, 독립 영화의 주목성이 떨어지며 극장 문화의 중요성을 어필하며 극장을 다시 찾아주길 호소하지만, 일반 관객들에게 영화관 방문은 더 이상 메리트가 크게 느껴지지 않는다. 코로나19가 전 세계적으로 유행하면서 극장을 찾는 대신 OTT를 이용하는 사람의 수는 더욱 늘어났다. 전 세계적으로 극장 관람료가 상승하면서 OTT 구독자 수는 꾸준히 늘고 있는 추세이다. 2023년 3분기 기준 전 세계 넷플릭스 구독자 수는 2분기보다 876만 명이 증가했으며, 2분기 역시 1분기보다 589만 명이 증가한 수치였다. 물론, 넷플릭스를 비롯한 OTT 서비스는 코로나19가 창궐하기 이전에도 존재했고, 이용자 수가 많았다. 하지만 코로나19 이후 더욱 대중화되었으며 이제는 국적, 성별, 나이를 가리지 않고 전 세계에서 즐기고 있다.

당연히, OTT 서비스라고 해서 항상 탄탄대로만 걸었던 것은 아니다. 실제로 2022년 넷플릭스는 구독자가 감소하는 현상을 겪기도 했다. 넷플릭스는 그 이유를 "경쟁업체 증가와 러시아-우크라이나 전쟁으로 인한 러시아 내 서비스 중단 때문"이라고 설명했지만, 넷플릭스를 제외한 디즈니+ 등의 다른 OTT 업체들도 구독자 수가 빠져나갔다. 한국의 지난 2021년 12월, 주요 OTT 업체(넷플릭스, 웨이브, 티빙, 쿠팡플레이, 디즈니+, 시즌, 왓챠) 합계 구독자 수는 약 2,064만 명이었다. 2022년 1월 역시 약 2,074만 명으로 비슷한 수치였지만 2월엔 약 2,014만 명, 3월엔 약 1,989만 명, 4월엔 약 1,838만 명으로 감소하였다. 이는 코로나19가 다소 잠잠해지면서 OTT 시청 말고도 다른 여가 활동을 즐길 수 있기 때문이란 분석이 나왔다. 그러나, 다시 OTT 서비스의 구독자가 상승한 것은 영화관 티켓 가격이 계속 올랐기 때문이다.

코로나19로 인한 위기를 극복하기 위해 관람료를 올렸는데 포스트 코로나 이후에도 티켓 가격이 상승하니 관객들은 다시 OTT를 찾기 시작한 것이다. 그러나, 2022년이 끝나갈 무렵, 조사한 결과에 따르면 넷플릭스 구독자 수는 14.1% 상승, 티빙 구독자 수는 26.3% 상승, 웨이브와 디즈니는 각각 2.1%, 1.0% 상승했으며 오히려 이전보다 더 올랐다. 방송통신 위원회의 조사 결과에 따르면 팬데믹이 시작된 2020년 기준 유튜브 프리미엄을 포함한 현재 국내 OTT 서비스 이용비율은 약 66.3%로 나타났고, 20대의 경우 무려 91.6%로 나타났다. 이는 전 세대를 통틀어서 가장 높은 비율로 OTT 서비스가 20대들의 삶에서 얼마나 깊게 자리매김하고 있는지 알 수 있다. 게다가 쿠팡플레이나 티빙 같은 OTT 업체들은 경쟁력을 강화하기 위해 스포츠 중계권을 사기도 하였다. 영화계에 관해서 논하는데 스포츠 중계권이 무슨 상관일까 싶을 수도 있지만, 꽤 큰 상관관계가 있다. 스포츠 중계권을 사들이면서 스포츠에 관심이 많은 젊은 남자들이 유입되고, 결국 그 OTT를 구독하면서 OTT 내 영화를 비롯한 다른 콘텐츠를 소비함으로 극장을 찾을 이유가 또 줄어드는 것이기 때문이다. 이미 20대 청년들에게 OTT 서비스는 영화관의 대체 수단이 아닌 제1의 수단으로 자리 잡았다.

4. 요즘 영화관에서 영화 보기는 사치이다.

이런 관람료 인상으로 인해 점점 영화관에서 영화를 보는 것은 20대에게 적지 않은 부담으로 다가온다. 나를 비롯한 많은 20대는 부모님께 용돈을 받거나 아르바이트하면서 받은 월급으로 경제생활을 한다. 이런 우리에게 가격 변동은 다른 세대들에 비해 더 크게 다가올 수밖에 없다. 한 발짝 양보해서 가격이 오른 것은 그럴 수 있다고 치자. 가격이 오르면 적어도 영화관 내 서비스의 품질이 개선되거나 혹은 상영하는 영화의 질적 상승이 동반되어야 한다. 그렇지 않으면 관객들, 그 중 특히 20대는 영화관을 찾는 것에 더 큰 부담감을 느끼고 결국 경쟁력을 잃는다. 그러나 현재 영화관에서 우리는 두 가지 모두 찾기 힘들다. 가격 상승 전과 비교해 영화관 자체가 달라진 점은 없다. 기존 극장과 차별화되는 프리미엄 상영관이 생기긴 했지만, 프리미엄 상영관도 관람료가 인상되기는 마찬가지다. 무엇보다 가장 많은 대중들이 찾는 일반 상영관의 시설 역시 그대로다. 또한, 이런 시설은 극적으로 좋아지지 않는 이상 일반 대중들이 체감하기 어려운 것이 사실이다.

개봉하는 영화의 질적 상승은 더 의문이다. 현재 관객들이 영화관에 가지 않는 두 번째로 큰 이유는 바로 “볼 만한 영화가 없어서”이다. 특히 한국 영화의 경우, 최근 위기라는 말이 많이 나오고 있다. 실제로, 2023년 상반기 외국 영화 매출은 2017년~2019년 같은 기간 대비 93%로 상당 부분 회복했다. 이에 반해, 한국 영화는 53% 수준에 그쳤다. 이런 한국 영화 위기론에 대해 앞서 말한 코로나19 창궐, OTT 서비스의 급부상 등도 있지만 창고 영화 방출과 영화계 자체의 문제라는 지적 또한 나오고 있다. 코로나19로 인해 극장가가 침체기일 때, 많은 영화들이 개봉 시기를 놓치거나 먼저 상영된 작품들의 흥행 실패로 공개되지 못했다. 창고 영화는 개봉 시기를 놓친 작품들을 뜻한다. 이런 창고 영화들이 점차 개봉하면서 작품성이 떨어지는 작품이 연이어 상영되고 흔히 신파극이라고 불리는 연출들이 판치는 것 역시 영화 자체의 질적 하락을 유도하고 있다. 게다가 제작사 측에서 큰 투자를 결심한 영화들이 줄줄이 흥행에 실패하면서 투자받는 것조차 힘들어지는 상황이 이어지고 있다. 그런 영화들이 손익분기점을 넘지 못하는 이유는 오랜 기간 동안 만들어진 흥행 패턴이 자리 잡으면서 상영 작품들마다 비슷한 양상을 띠기 때문이다. 유명 영화 평론가 이동진은 이를 너무 패턴화되어 있으며 지나치게 장르화 혹은 공식화되어 있다고 표현했다. 흥행 성공을 노리는 텐트폴 영화일지라도 무조건 흥행에만 집중하는 천만 관객 영화가 아닌, 작품성을 갖춘 500만 영화가 되어야 한다고 설명한다. 흥행을 위한 법칙, 과한 장르화가 작품성을 낮추고 있다는 뜻이다.

극장과 대비되는 OTT 서비스의 장점은 재미없는 영화를 봤을 때의 위험 부담이 적다는 것이다. 돈이라고는 한 달에 내는 구독료가 전부이며 보다가 재미 없을 경우 터치 한 번으로 관람을 중단할 수 있다. 하지만 영화관은 영화 티켓값은 물론이고 극장을 가는 과정에서 생기는 번거로움을 고려하면 재미없는 영화를 보는 것에 대한 부담감이 크다고 할 수 있다. 결국 관람료를 올릴 수밖에 없는 상황에 영화관으로 관객들을 불러들이기 위해서는 상영하는 영화, 특히 한국 영화의 질적 상승은 필수적이라고 할 수 있다. '틸리언 프로'의 설문조사에 따르면 티켓값이 비싸도 좋은 영화가 있다면 영화관에 가겠다는 응답자 수가 50%가 넘는다. 이는 꽤 많은 수의 관객들이 관람료가 비싸더라도 그에 상응하는 작품이 나온다면 볼 생각이 있다는 것이다. 실제로 2023년 여름에 개봉한 크리스토퍼 놀란 감독의 〈오펜하이머〉는 긴 러닝타임의 불리함을 가지고도 흥행에 성공했으며 많은 관객들이 일반 상영관보다 더 비싼 IMAX 관에서 관람하였다. 2022년에 개봉한 〈탑건:매버릭〉 역시 4D 시청자의 비율이 상당히 높았다. 왜 많은 사람들이 일반 상영관보다 훨씬 비싼 특별 상영관에서 해당 작품들을 관람한 것일까? 바로 그 영화들은 돈을 지불할 만한 값을 하고, 보면서 만족스러운 경험을 할 수 있기 때문이다.

글의 맨 앞에서 언급한 〈서울의 봄〉을 포함한 흥행에 성공한 영화들도 마찬가지이다. 관객들은 비싸도, 그 영화가 재밌을 것 같으면 극장을 찾는다. 현재 한국 영화의 문제점은 가격은 올랐지만 대부분 영화가 질적으로 하락한 것이다. 2023년 12월 11일을 기준으로, 2023년 박스오피스 탑10 중 무려 6개가 외국 영화이다. 물론 그전에도, 박스오피스에서 외국 영화가 차지하는 비중은 높았지만, 그때에 비해 한국 영화의 관객 수가 매우 줄었다.

2019년 박스오피스 탑10 중 한국 영화는 〈극한직업〉, 〈기생충〉, 〈엑시트〉, 〈백두산〉 총 네 편이다. 2023년과 같다. 하지만 2019년의 네 영화의 관객 수는 각각 1,626만 명, 1,031만 명, 942만 명, 825만 명이다. 2023년 박스오피스 탑10에 포함된 한국 영화는 〈범죄도시 3〉, 〈서울의 봄〉, 〈밀수〉, 〈콘크리트 유토피아〉이며 각각 관객 수가 1,068만 명, 697만 명, 514만 명, 384만 명으로 2019년과 비교 시 부족한 편임을 알 수 있다. 상위권 영화들만 비교해 봤을 때 이 정도이고, 그 아래로 가면 격차는 더욱 벌어진다. 게다가 막대한 제작비를 들여 투자한 〈비상선언〉, 〈외계+인 1〉이 흥행에 처참하게 실패하면서 문제점이 더 두드러지고 있다. 결국 이러한 점들을 종합해 봤을 때, 현재 경제적 자립성이 부족한 20대들에게 비싼 돈을 주고 극장에서 영화를 보는 것은 효율적이지 못하다고 느낄 가능성이 크다. 정말 기대되는 소수의 영화를 제외하면 극장을 찾을 필요가 없다고 느끼는 것이다.

5. 앞으로 어떻게 해야 할까?

최근 몇 년간의 급격한 영화관 티켓 가격 상승에 대해 크게 두 가지 의견이 나온다. 첫 번째는 티켓 가격을 이전으로 되돌리자, 두 번째 의견은 현재 영화계 상황에 의해 이전 수준의 관람료로 내리기엔 어려우니 한국 영화의 발전으로 관객들을 영화관으로 불러야 한다는 의견이다.

첫 번째 의견을 가진 이들은 영화는 업계 종사자들 뿐 아니라 대중들과 함께 향유하는 문화라며 많은 관객들이 극장을 찾게 하기 위해선 코로나19 이전으로 티켓값을 조정해야 한다고 밝혔다. 티켓값이 상승하면서 한국 영화계를 살리겠다는 이유를 들었지만 영화사와 극장 간 조율을 통해서 티켓값을 낮추더라도 충분히 이익을 챙길 수 있다. 그러나 일각에서는 다른 의견을 내세우고 있다. 영화 평론가 이동진은 현재 한국 영화계 티켓 가격에 대해 높은 편이긴 하지만, 절대적으로 높은 게 아닌 상대적이라고 말한다. 코로나 시국 이전 관람료가 한국의 경제 수준에 비해 저렴한 편이었고, 최근 변동률이 급격히 올라가서 이에 따른 반발이 올라가는 것이라고 설명했다. 이동진의 의견을 요약하면 이전이 너무 싼 가격이었기 때문에, 현재의 가격에 대한 대중들의 반발이 거센 것이고 결국 관객을 영화관으로 불러들이기 위해서는 한국 영화의 수준이 올라가야 한다는 것이다.

두 의견 모두 장단점이 있다고 생각한다. 영화표 가격을 당장 낮추는 방법은 즉각적인 효과를 내기 쉬운 방법이다. 각종 설문조사와 경험에서 알 수 있듯이 한국 관객들, 특히 20대의 경우 최근 급격히 상승한 티켓값으로 영화관 방문 횟수는 줄고, OTT 사용 빈도가 올라가고 있다. 그렇기에 관람료를 낮추게 된다면 가장 큰 문제점을 해결하는 것이 되고, 관객들은 즉각적으로 반응을 보일 확률이 크다. 10대, 20대가 최근에 영화 관람을 더욱 신중히 결정하고 있다는 자료처럼 현재 젊은 층의 극장 관람은 계속 줄어드는 추세인데, 이를 단기간에 극복할 수 있는 최고의 방법이다. 하지만, 이 방법은 한국 영화 산업 전반적인 구조를 바꿔야 한다. 그렇지 않으면 영화계 전체가 큰 혼란에 빠질 수 있기 때문이다.

영화표 가격을 당장 파격적으로 낮추는 것은 어렵지만, 상영 영화의 질적 상승을 통해 관람객을 모아야 한다는 입장도 있다. 만약 실현된다면, 영화계 전체적으로 긍정적인 발전을 이룰 수 있다. 티켓값은 유지하면서 영화의 퀄리티가 상승하면, 관객들은 좋은 영화를 보기 위해 영화관을 더 자주 찾을 것이고 이는 수익의 상승은 물론, 한국 영화산업의 발전으로 이어질 것이다. 그러나, 이런 방법은 단기간에 바로 효과를 볼 수 없다. 어쨌든 영화의 수준이 전체적으로 상향된 느낌을 주기 위해서는 수작들이 꾸준히 나와야 하고, 이런 수작들이 장기간에 걸쳐 관객들에게 믿음을 주고 “한국 영화들도 티켓값을 지불할 만한 가치가 있겠구나"라고 생각할 만한 믿음을 심어주어야 한다. 이는 아무래도 눈에 확 보이고 체감이 훨씬 빠른 티켓 가격 인하보다는 즉각적인 효과가 느릴 확률이 높다.

내 생각에는 당장 관람료를 확 낮추는 것보다 천천히 낮추면서 장기적인 관점으로 다가가 한국 영화의 질적인 수준을 올리는 것이 더 좋다고 생각한다. 물론 현재 영화관이 계속 적자가 나는 상황이고, 이를 시행한다고 해도 관객이 돌아오지 않으면 어떡하냐는 반론도 있을 수 있다. 물론 틀린 말은 아니나, 관객들에게 영화관이 부담스러운 이유는 티켓 가격의 급격한 상승과 그에 따르는 반발심이 크다. 그렇기에 가격을 조금 낮추는 것만으로도 이런 반발심을 상당 부분 완화할 수 있을 것이다. 다른 대안으로는 홀드백 기간을 조절하면 된다는 해결 방안을 생각해 보았다. 홀드백(hold back)이란 극장에서 상영한 영화가 다른 플랫폼으로 유통되기까지의 일종의 유예기간을 의미한다. 홀드백 기간이 짧아진다면 많은 관객들은 영화관을 찾기보다는 OTT 혹은 IPTV로 영화를 관람할 것이고 이는 영화관의 수익 감소로 이어질 것이다. 최근에는 홀드백이 점점 짧아지거나 아예 없는 경우도 늘어나고 있다. 물론 홀드백이 짧을수록 흥행, 손익분기점에 대한 부담은 줄어든다. 하지만 이는 영화관 입장에서 큰 손실로 다가오고 결국 영화계 전체의 문제로 커지게 됐다. 홀드백 기간이 본격적으로 짧아진 것은 2019년이다. 2019년에는 〈극한직업〉, 〈어벤져스: 엔드게임〉, 〈알라딘〉, 〈기생충〉, 〈겨울왕국 2〉 총 다섯 편의 천만 영화가 개봉했다. 영화관은 흥행이 유력한 영화를 많은 상영관에 배정해야 단기간에 큰 수익을 얻을 수 있다. 배급사 또한 상영관이 줄어들기 전에 빠르게 IPTV, OTT 등에 영화를 출시해야 추가적인 홍보 금액을 줄이면서 화제성을 이어가고 2차 시장에서 수익을 챙길 수 있다. 기존에 보통 10주에서 6개월까지 걸렸던 홀드백 기간은 코로나19 창궐 이후 8주, 5주 내지는 아예 사라진 경우도 있다. 당시엔 이런 이해관계가 맞아 점차 홀드백 기간이 줄어들었는데, 오히려 지금은 그때 맞았던 이해관계가 영화관을 옥죄고 있는 아이러니한 상황이다. 물론 홀드백이 너무 길어지면 영화의 흥행에 대한 위험 부담이 늘어나기에 지금보다 극단적으로 늘이기는 어렵지만, 지금보다 늘려 개봉 직후의 영화관 수익을 올리는 방식으로 매출액의 계속된 감소를 막을 수 있다. 물론 이 방법이 전부이면 안 된다.

이 방안은 언제까지나 장기적으로 효과를 보기 전에, 더욱 나빠지는 것을 막기 위한 것이다. 그렇다면 장기적으로 한국 영화의 질적 상승을 만들 방법은 무엇이 있을까? 첫 번째는 바로 영화계 인력이 떠나는 것을 방지하는 것이다. 인력들이 이탈하는 이유는 바로 생계를 유지하기 힘들기 때문이다. 한국영화조합의 발표에 따르면, 2023년 기준 한국 영화감독은 평균 연봉은 1,800만 원이고, 영화 작가의 평균 연봉은 1,000만 원이라고 한다. 2023년 최저시급인 9,620원을 연봉으로 환산하면 2,412만 원이 나오는데, 이것보다 적은 수치이다. 물론 영화감독과 작가는 일반 직장인과 연봉을 비교하기엔 일하는 환경도 돈을 받는 방식도 다르지만, 이 점을 고려해도 매우 낮은 수치이다. 양윤호 한국영화인총연합회 회장은 콘텐츠 사용에 따른 정당한 보상 제도를 정비하고 산업구조를 개편하여 인력 이탈을 막고 새로운 인재를 키워야 한다고 호소한다. 제작사나 배급사가 아닌 영화 현장에서 일하는 사람들이 정당한 대가를 받기에 매우 부족하다는 것이다. 영화계가 인재를 다른 사업 혹은 다른 나라로 뺏기지 않기 위해선 보수에 대한 문제 해결이 꼭 동반되어야 할 것이다.

그렇다면 대우 면에서의 변화가 해결의 끝일까? 그렇지 않다. 거기에 더해 형식의 다양함이 일어나야 한다. 현재 한국영화는 흔히 말하는 클리셰가 관객들에게 거부감을 주고 있다. 예를 들어 범죄 영화 장르에서 자주 쓰이는 대사인 "선수입장" 등이 대표적인 클리셰이다. 이렇게 영화가 다양하지 못하고, 획일화되다 보니 관객들 입장에서는 굳이 그 영화를 보지 않아도 내용이 예상되고 흥미가 떨어질 수밖에 없다. 지난 수십 년 동안 만들어진 흥행 법칙에 이제 관객들은 열광하지 않고 싫증을 내기 시작했다.

그렇다면 이러한 흥행 법칙을 버리고, 더 창의적이고 신선한 영화가 나오기 위해선 어떤 것이 필요할까? 바로 같은 제작비를 사용한다고 가정했을 때, 스타 배우를 캐스팅하는 것에 너무 매달리지 않아야 한다. 한국 영화 시장은 생각보다 스타 영향력이 적다. 2023년에 개봉한 영화 중 〈드림〉은 아이유·박서준 주연에 감독 역시 〈극한직업〉으로 대히트한 이병헌 감독이 맡았다. 하지만, 작품성에 대한 비판으로 인해 손익분기점인 218만 명에 한참 미치지 못하는 112만 명 관중 동원에 그쳤다. 2022년에 개봉한 〈비상선언〉 역시 이병헌·송

강호·전도연·김남길·임시완 등 캐스팅만 보면 역대급이라는 기대감이 있었지만, 마찬가지로 작품성에 대한 비판을 들으며 손익분기점인 500만 관중에 절반에도 미치지 못하는 200만 명에 그쳤다.

최근에는 SNS, 유튜브, 각종 커뮤니티 등을 통해 개봉 중인 영화에 관한 정보를 손쉽게 얻을 수 있다. 20대의 경우, SNS를 비롯한 인터넷 사용률이 매우 높기 때문에 유명한 배우들이 나온다고 해도 인터넷상에서 평점이 좋지 않으면 굳이 보러 가지 않는 경우가 다반사이다. 물론 캐스팅 명단이 화려하면 개봉 전 혹은 초창기에 어느 정도의 관객들을 불러 모을 수는 있지만 결국 작품성이 떨어진다면 흥행에 실패할 수밖에 없는 것이 요즘 영화계의 흐름인 것이다. 그렇다면 빠듯한 제작비를 유명 배우 캐스팅에 몰아넣어서 작품성이 떨어지는 것보다, 작품에 어울리는 재능있는 신인급 배우를 캐스팅하고, 남는 제작비를 가지고 작품의 완성도를 높이기 위해 투자하는 것이 더 좋은 방법일 수 있다. 스타 캐스팅이 흥행을 보증해주는 것은 아니기 때문이다. 이렇게 한국 영화가 최종적으로 퀄리티가 상승한다면, 다른 세대에 비해 경제적 자립심이 부족해 그동안 티켓 가격 상승을 크게 체감했던 20대도 관람료 상승 이전처럼 극장을 방문해서 영화를 관람할 것이다.

나를 비롯한 20대들은 영화관을 찾는 관객 수 감소가 단순히 티켓값 상승 때문으로 생각하는 경우가 많았다. 언론에서 주로 다루는 내용이기 때문이다. 하지만, 관람료 인상으로 관객들이 극장을 외면하는 것만이 아닌 OTT의 발전, 한국 영화의 질적 저하 같은 여러 요인이 복합적으로 작용한 결과물이라는 것을 말이다. 관객들에게 최근에 급격하게 오른 영화관 관람료는 매우 부담스러운 것이 사실이다. 하지만, 현재 한국 영화의 사업 구조는 이를 바꾸기엔 어려움이 있으며, 만약 티켓 가격을 급격히 내려도 관객들의 발걸음이 이전 수준을 회복하지 못한다면 영화관은 돌이키지 못할 위기를 맞을 수도 있다. 티켓값 상승이 극장을 외면하는 관객만의 탓이 아니라 OTT의 발전, 한국 영화의 질적 저하와 같은 여러 가지 요인이 복합적으로 작용한 결과물이라는 것을 말한다. 그런 후에 영화계 인력들에 대한 처우 개선과 흥행 공식, 스타 캐스팅보다 작품성에 힘쓰는 방식이 따라온다면 어떨까? 어려움을 겪고 있는 영화계가 팬데믹 이전으로 회복함은 물론 더 나아갈 수 있지 않을까? 물론 내가 말한 방안들이 어느 정도 실현성을 가졌는지, 실제로 도입될지는 전혀 알 수 없지만 만약 도입된다면 지금보다 나아질 수 있을 것 같다. 아무런 변화가 없다면, 영화 산업은 지금과 같을 것이다. 고인 물은 썩을 수밖에 없다. 그렇다면 영화를 좋아하는 우리는 어떻게 해야 할까? 변화가 있다면 그것을 경험하고, 적극적으로 피드백을 하며 개선 방안을 함께 찾아나가야 할 것이다. 영화계가 발전하기 위해서는 영화인들 뿐 아니라 일반 관객들의 노력 역시 필요하다.

6. 책의 다른 저자들에게 물었다.
- 한국 영화가 관객들에게 외면받는 이유 중 티켓값 상승의 비율이 어느 정도라고 생각해?

- **김동환**

"솔직히 영화관에서 보는 것이 OTT 서비스로 보는 것보다 더욱 생생하고 몰입이 잘 된다. 하지만 최근 영화표의 가격은 너무 올랐고, 15,000원이나 하는 영화표 값을 지불하고 실패하고 싶지 않아서 망설이게 될 때가 많다. 반면 어떤 영화들은 2만 원을 줘도 아깝지 않을 영화들이 있다. 결국 가격 상승의 속도에 비해 한국영화의 퀄리티가 상승하는 속도가 더딘 것 같다. 이 간극을 조정하는 것이 필요해 보인다."

- **강영흠**

"근본적인 문제는 OTT 서비스의 발달과 한국 영화 자체의 침체라고 생각한다. 이때 티켓값 상승은 그 간극을 더욱 넓히는 촉진제라고 보인다. 따라서 과거의 한국 영화의 발전 및 영화관의 성황을 위해서라면 영화 업계의 새로운 변화가 있어야 할 것 같다. 또한 티켓값의 완화조치가 이뤄져야 할 것 같다."

• **김지윤**

“한국 영화 산업의 침체를 야기한 원인으로 티켓값 상승을 제시하는 주장에 어느 정도 동의한다. 사실 뫼비우스의 띠에 놓여있는 것 마냥 현재 영화산업에 관여하는 모든 요소가 영화관으로 향하는 발길을 막는다고 생각한다. 영화산업이 침체된 데에는 한 가지 이유만 있는 것은 아닐 것이라고 생각한다. 상승한 티켓값의 영향도 선명하게 있겠지만, OTT서비스가 선보이는 명확한 메리트는 영화관에 직접 가서 영화를 관람하는 데 저해하는 요소로 크게 작용한다고 생각한다.”

• **이가현**

“영화표를 예매하려 들어가도 티켓값 때문에 망설인 적이 한두 번이 아니다. 그렇다고 인생 영화급으로 재미있는 영화가 많은 것도 아니다. 티켓값이 체감상 2배나 올랐기에 거의 80% 이상의 비율을 차지한다고 생각한다. 문화를 향유하기 위해 영화관을 많이 찾고 싶어도 원가로는 매번 찾기 어려운 상황이다.”

• **김시현**

“100% 중 95% 정도라고 생각한다. 학생인 나에게 너무 부담스러운 가격이다. 친구들이랑 영화 보러 가면 항상 하는 말이 있다. ‘아~ 이 돈 주고 영화 볼 거면 차라리 집에서 넷플릭스 보지.’ 라는 말이 영화에 대한 인식을 고정시키는 것 같다. 물론 OTT 서비스가 주는 영향도 크겠지만, 영화관에서 주는 몰입감은 차원이 다른 것도 사실이다. 그렇기에 티켓값 상승의 비중이 훨씬 많다고 본다.”

3

숏폼에서 본 유행 따라잡기,
‘인싸로 살아남는 법’

1. SNS의 활발한 성장 및 확산, 그리고 '인싸로 살아남는 법'

현대 사회에서 주목받고 있는 현상 중 하나는 SNS(소셜 네트워크 서비스)의 활발한 성장 및 확산이다. 최근 디지털 기술의 가파른 발전은 인터넷의 보급과 속도 향상을 이끌었다. 이로 인해 더 많은 사람들이 온라인을 통해 연결되고 정보를 더욱 편리하게 공유할 수 있게 된 것이다. 또한 스마트폰과 태블릿PC 등 모바일 기기가 보편화를 통해 언제 어디서든 인터넷에 접속할 수 있는 환경을 조성했고, SNS는 빠른 정보 전달과 다양한 콘텐츠 소비를 가능하게 했다. 그 결과, SNS는 트렌드를 빠르게 반영하는 플랫폼으로 부상했다.

특히 우리는 숏폼에 주목할 필요가 있다. 여기서 숏폼은 15~60초 이내의 짧은 영상 콘텐츠를 의미하는데, '짧다'라는 뜻의 영단어 '숏(Short)'과 형식을 뜻하는 '폼(form)'의 합성어이다. 예시로 '인스타그램 릴스', '유튜브 쇼츠', '틱톡' 영상이 대표적이다. 현재 숏폼 플랫폼의 이용자 수는 기하급수적으로 늘고 있다. 숏폼 플랫폼의 대명사인 틱톡은 2022년을 기준으로 소비자 지출액 30억 달러를 달성했으며, 유튜브 쇼츠는 하루 평균 조회수가 300억 회에 달한다. 그렇다면 사람들은 왜 숏폼 콘텐츠에 열광하는 것인가. 바로 쉬운 접근이 가능하기 때문이다. 숏폼 콘텐츠는 짧은 길이로 구성되어 있어 사용자들은 콘텐츠를 빠르게 소비할 수 있다. 이로 인해 특히 숏폼 콘텐츠는 SNS내에서 높은 인기를 누리고 있으며, 사용자들은 더욱 짧고 흥미로운 형태의 콘텐츠에 더 많은 관심을 기울이고 있다.

숏폼의 콘텐츠의 양상이 점점 다양해지는 추세이다. 이용자들은 다양한 관심사와 취향을 가지고 있어, 숏폼 콘텐츠도 이러한 이용자들의 수요에 따라 다양화될 수밖에 없는 것이다. 예를 들어, 요리, 뷰티, 패션, 여행, 게임, 음악, 꿀팁 전수, 챌린지 등 다채로운 숏폼 콘텐츠가 등장하고 있다. 또한 영상편집 기술의 발전으로 숏폼 콘텐츠의 제작은 더욱 쉬워지고 있다. 따라서 누구나 쉽게 제작하고, 공유할 수 있게 됨으로써, 숏폼 콘텐츠의 다양화는 더욱 가속될 것으로 보인다. 이와 같은 숏폼 콘텐츠의 다양화는 많은 장점을 가져온다. 첫째, 이용자는 자신의 관심사와 취향에 맞는 콘텐츠를 보다 쉽게 찾을 수 있다. 둘째, 기존의 롱폼 콘텐츠와는 다른 새로운 문화를 창출하고 있다. 예를 들어, 숏폼 콘텐츠에서 새로운 유행 챌린지가 생기거나, 새로운 소비 트렌드가 형성되는 등 다양한 변화가 일어나는 실정이다. 셋째, 숏폼 콘텐츠의 다양화는 관련 산업의 발전에도 기여하고 있다. 숏폼 콘텐츠를 통해 새로운 상품이나 서비스가 홍보되고, 새로운 직업군이 창출되는 등 다양한 변화가 일어나는 실정이다.

이처럼 숏폼 플랫폼의 콘텐츠가 유행을 선도하는 현상이 나타나고 있다. "나도 틱톡에서 본 음식 먹고 싶어.", "나도 인스타 릴스에 나온 곳에 가보고 싶어."와 같이 생각하는 사람들이 많아지며, 새로운 유행이 만들어진다. 특히 MZ세대는 유행에 민감하게 반응하고, 유행하는 문화라면 한 번쯤 경험해 보려는 특성을 지니고 있다. 물론 유행 아이템에 대한 호기심도 있겠지만, 유행을 따라야 '인싸'가 될 수 있을 것이라 생각하기 때문이다. 이러한 점에서 나는 숏폼 플랫폼에서 시작된 유행을 따라 하거나, 유행하는 제품이나 서비스를 따라 소비하는 현상을 인싸로 살아남는 법'이라 명명하려고 한다. '인싸로 살아남는 법'은 밴드왜건 효과(Bandwagon effect)와 연관지어 설명할 수 있다. 밴드왜건은 퍼레이드 행렬 선두에서 퍼포먼스를 펼치며 길을 알려주는 마차를 가리킨다. 그래서 밴드왜건 효과는 마차가 행렬을 이끌고 가는 것과 같이, 대중의 유행을 따라가는 소비자들을 나타내는 표현이다. 이처럼 대중적인 유행을 수용하여 다수의 대중들이 소비 트렌드를 따라가는 현상을 말한다. 이 효과는 사람들이 자신이 속한 집단의 일원으로 인정받고 싶은 욕구가 있기 때문에, 집단에서 유행하는 것을 따라 함으로써 타인의 인정을 받기 위해 발생한다. 다시 말해서, '인싸로 살아남는 법'은 밴드왜건 효과로 인해 숏폼에서 유행하는 것을 따라 하는 행위이다. 다양한 '인싸로 살아남는 법'의 사례를 통해, 해당 사회현상을 어떤 시각으로 바라보아야 하는지 생각해 보자.

2. '인싸로 살아남는 법'을 통해 도움이 되다!

뜨거운 팝업스토어의 인기와 '인싸로 살아남는 법'

팝업스토어는 짧은 기간 동안 운영되는 임시매장을 말한다. 영어로 '튀어 오르다'라는 뜻의 'pop-up'과 '매장'을 뜻하는 'store'의 합성어인 것이다. 팝업스토어는 기존의 매장과 차별화된 콘셉트를 통해 브랜드 이미지를 제고할 수 있으며, 새로운 제품이나 서비스의 출시를 알리는 데 효과적인 마케팅 수단이 될 수 있다.

현재, 팝업스토어의 인기는 MZ세대 사이에서 식을 줄 모른다. 몇몇은 인싸로 살아남기 위해, 팝업스토어에 찾아간다. 주말에 MZ세대의 핫플레이스 홍대, 성수에 방문하면 3~5개의 팝업스토어를 진행하는 모습을 볼 수 있다. 팝업스토어의 대기 줄도 상당히 길다. 일부 팝업스토어는 비바람이 쳐도 오픈런을 하기 위해 긴 대기 줄을 감수해야 한다. 현재 성수동의 팝업스토어 임대 일정은 꽉 차 대기를 해야 하는 상황이며, 유튜브 '땅집고 채널'에 따르면 임대료 또한 일주일에 대략 2억 원으로 매우 높은 가격대를 보여준다.

그렇다면 팝업스토어의 인기비결은 무엇인가. 첫째, 팝업스토어는 기존의 매장과 달리 새로운 공간과 콘셉트를 선보인다는 특징이 있다. 이는 소비자들에게 색다른 경험과 즐거움을 제공할 수 있다. 둘째, 소셜미디어를 통한 홍보가 활발하다. 각종 SNS를 통해 팝업스토어에 대한 정보 전달이 신속하게 이루어지는데, 굉장히 효과적인 결과를 보여준다.

특히, 숏폼을 통한 팝업스토어 홍보의 비중이 크다. 대표적인 사례로 캐릭터 빵빵이 팝업스토어를 들 수 있는데, 빵빵이 팝업스토어는 2023년 12월 14일부터 27일까지 서울 성수동에 위치한 에스팩토리 D동에서 운영되었다. 이 스토어는 '빵빵이의 일상'이라는 애니메이션을 주제로 한 팝업스토어로, '빵빵이와 끼꼬의 크리스마스'를 테마로 하여 다양한 즐길 거리와 볼거리를 제공했다. '빵빵이 팝업스토어'는 많은 사람들의 관심을 받으며 큰 인기를 끌었다. 팝업스토어 오픈 첫날에는 많은 사람들이 몰려 오픈 1시간 만에 입장권이 매진됐을 정도이다. 이 팝업스토어의 성공은 소셜 미디어의 영향력도 한몫했다. 빵빵이의 팬들은 소셜 미디어를 통해 팝업스토어의 정보를 공유하고, 방문 인증샷을 올리며 팝업스토어의 인기를 더욱 높였다. 예를 들어, 유튜버 '돼끼'의 유튜브 쇼츠 영상인 <빵빵이에 미쳐버린 유튜버의 빵빵이 팝업스토어 가는 법>은 조회수는 167만 회(2023년 12월 12일 기준)를 달성하였다. 또한 '20대 뭐 하지?' 인스타 계정에 올라온 <빵빵이 끼꼬 인형> 릴스 조회수는 112만 회(2023년 12월 12일 기준)를 달성하였다. 이러한 숏폼 콘텐츠를 통해 유입된 소비자가 굉장히 많았을 것이라 예상하며, 팝업스토어의 성공 신화를 만들어내었다.

이뿐만이 아니다. 소비자는 숏폼 콘텐츠를 통해 양질의 정보를 얻을 수 있었다. '더 현대 빵빵이 스토어'는 2023년 7

월 26일부터 8월 28일까지 서울 여의도에 위치한 더 현대 서울에서 운영되었다. 당시에 빵빵이 스토어는 대기 줄이 길어 팝업스토어에 입장하지 못하고 헛걸음을 한 소비자들도 많았을 정도이다. 이 시기에 더 현대 빵빵이 팝업스토어에 방문한 사람들의 다양한 숏폼을 통한 방문 후기로 방문 팁이 전수되었다. 예를 들어, "빵빵이 인형을 사려면 예약 대기자 200명 안에 들어야 해요!", "더 현대 분수대 앞에서 지하로 내려가는 에스컬레이터를 타면 바로 도착할 수 있어요!" 등의 후기를 통해 소비자들은 빵빵이 팝업스토어를 현명하게 이용할 수 있었다.

숏폼을 통해 팝업스토어를 접하고 '인싸로 살아남는 법'을 실행한 사람들은 SNS에 팝업스토어 방문 후기를 올린다. 그리고 인기 많은 팝업스토어에 다녀왔다는 것 자체에서 자기만족감을 느낀다. 또한 방문 후기를 주변 사람들과 공유하는 것에서 타인과의 소속감과 인정을 느낄 수 있다.

너도나도 바디 프로필과 '인싸로 살아남는 법'

바디 프로필은 자신의 몸매를 기록하기 위해 촬영하는 프로필 사진이다. 이는 보통 피트니스 대회 출전 선수나 모델들이 촬영하지만, 최근에는 일반인들도 자신의 몸매를 관리하고 자신감을 높이기 위해 촬영하는 경우가 많아지는 추세이다. 또한 바디 프로필 촬영 유행은 '오운완'의 열풍과 관련되어 있다. 오운완은 '오늘 운동 완료'의 줄임말로, 스스로 정해놓은 일일 운동량을 완료하고 SNS에 글을 올리면서 '#오운완'을 달아 인증하는 것이다. 최근 MZ세대의 건강하게 살고자 하는 의지와 예쁘게 몸을 꾸미고자 하는 마음이 결합하여 탄생한 산물로 보인다. 이는 자신감을 높이는 데 도움이 되는 좋은 방법이다. 또한, 바디 프로필 촬영을 통해 운동과 식단 관리의 동기부여를 받을 수도 있다는 장점이 있다.

다만 바디 프로필을 찍고자 하는 결심은 자기 자신이 건강해져야 한다는 의지에서 시작되지 않는 경우도 많다. 보통은 각종 SNS를 통해 타인의 바디 프로필 을 보며 동기부여를 받고, 운동을 시작한다. 그리고 또다시 본인의 바디 프로필 사진을 다른 사람들과 공유하는 과정을 통해 바디 프로필 촬영의 유행이 시작된다. 이 부분에서 '인싸로 살아남는 법'이 큰 역할을 했다고 볼 수 있다. 특히, 각종 숏폼 플랫폼을 이용한 눈바디 기록 영상들이 인기이다. 예를 들어, 유튜브 쇼츠의 <헬린이 50일차 눈바디 기록>은 조회수 3,310만 회(2023년 12월 12일 기준)를 달성하였다. 그리고 댓글에는 "대단해요! 저도 한번 도전해 봐야겠어요!" 등의 반응이 이어졌다. 또한 유튜버 '박학학'은 바디 프로필을 준비하는 과정과 찍는 과정을 하루하루 쇼츠로 기록하면서 많은 사람들에게 몸을 가꾸는 것에 대한 동기부여를 줬다. 그리고 실제 "형 영상 보고 운동 시작합니다!"라는 댓글들이 달렸다. 이처럼 바디 프로필이 유행이 되자, 많은 사람들이 '나도 유행인 바디 프로필이나 찍어볼까?', '요새 사람들 다 운동하던데, 나도 시작해 봐야겠다'라는 생각을 하게 되는 것이다. 그렇게 시작된 MZ세대의 '인싸로 살아남는 법'의 결과는 대체로 긍정적이었다. 많은 사람들이 너도나도 헬스, 바디 프로필에 도전하게 만들어 건강한 삶을 지향하는 모습을 보이는 데에 선한 영향력을 미쳤다.

이와 비슷한 과정은 다양한 분야를 다루는 콘텐츠에서도 적용된다. 예를 들어, 투자에 도전하는 숏폼 콘텐츠를 보며, '나도 투자해서 성공해야지'라는 생각으로 경제 공부를 시작하는 사례가 나타나고 있다. 또한 미라클모닝에 도전하는 숏폼 콘텐츠를 보며, '나도 계획적인 삶을 살아봐야지'라는 생각으로 알뜰한 하루를 보내는 사례 등이 마구 속출하고 있다. 이처럼 MZ세대가 자기 자신을 관리하는 것에 많은 관심을 가지고, 그에 대한 유행이 시작되자 '인싸로 살아남는 법'을 실행하며 한층 더 뿌듯하고 알찬 삶을 사는 사람들이 늘어나고 있는 것이다. 즉, '인싸로 살아남기'의 과정이 본인의 삶에 선한 영향력을 주기도 한다는 것이다.

똑똑하게 사는 체리슈머의 '인싸로 살아남는 법'

체리슈머는 최근 소비 트렌드로 떠오르고 있다. '체리슈머'는 단물만 빨아먹는 고객, '체리피커(Cherry Picker)'와 소비자의 의미하는 'Consumer'의 합성어로, 합리적인 소비를 추구하며, 자신의 가치관과 취향에 맞는 제품이나 서비스를 선택하는 소비자를 뜻한다. 체리슈머의 특징은 다음과 같다. 첫째, 자신의 자원을 효율적으로 활용하여 합리적인 소비를 추구한다. 둘째, 자신의 가치관과 취향에 맞는 제품이나 서비스를 선택한다. 셋째, 온라인을 통해 정보를 수집하고 구매한다. 그중에서도 체리슈머가 온라인을 통해 정보를 수집하고 구매한다는 것에 주목해야 한다. 체리슈머는 다양한 정보에 쉽게 접근하고, 비교적 저렴한 가격으로 제품이나 서비스를 구매하기 위해 온라인 창구를 활용한다. 이 과정에서 일부 사람들은 '인싸로 살아남는 법'을 활용하여 체리슈머가 되고자 한다.

예를 들어, 틱톡커 '짤컷'의 <항공권을 가장 저렴하게 사는 방법>은 가장 싼 항공권을 득템하는 비법을 알려주는 영상으로 조회수 121만 회(2023년 12월 12일 기준)를 달성했고, <해외여행 꿀팁 3가지> 틱톡 영상은 '구글 오프라인 지도 미리 다운로드 받기', '항공권 판매 사이트 스캐너를 이용하기', '트래블 월렛 사용하기' 꿀팁을 알려주는 영상으로 조회수 295만 회(2023년 12월 12일 기준)를 달성했다. 그리고 댓글에서는 '이건 정말 꿀팁이다.', '이번에 해외여행 가는데 써먹어야지!' 등의 반응이 이어졌다. 최근 해외여행을 자주 가는 사람들이 증가하면서 틱톡커 '짤컷' 등의 꿀팁 영상을 통한 체리슈머의 '인싸로 살아남는 법'의 사례가 확산되었다.

또한 틱톡커 '송사장'은 <#30년 전통 수제 떡>, <#기찬 돼지왕구이...> 등의 틱톡 영상을 제작한다. 영상에서는 맛있는 음식을 보여주고, 먹고, 공구하는 과정까지 다룬다. 공동구매를 통해 물건을 구입하며 더욱 싼 가격으로 구매할 수 있다. 즉, 기존에 떡이나 돼지갈비를 구입하려고 했던 소비자들은 좋은 기회를 만난 것이다. 이러한 과정도 '인싸로 살아남는 법'이라고 볼 수 있다.

이처럼 '인싸로 살아남는 법'을 통해 사람들은 새로운 상품이나 서비스에 대해 알 수 있다는 점과 공동구매 과정을 통해 좋은 품질의 제품과 서비스를 저렴하게 구매할 수 있다는 점에서 메리트가 있다. 그렇기 때문에 일상생활에 다양한 꿀팁이 되는 숏폼 콘텐츠를 저장해둔다면 실생활에 큰 도움이 될 것이다.

3. '인싸로 살아남는 법', 내 삶에 해로운 것인가?

여전히 식지 않는 탕후루 열풍과 '인싸로 살아남는 법'

탕후루는 중국의 과일 사탕으로 과일에 설탕 시럽을 발라 굳혀 먹는 음식이다. 베이징과 톈진을 포함하는 화베이 지역의 대표적인 겨울 간식이며, 최근에는 중화권 전역에서 즐겨 먹게 되었다. 한국에서도 탕후루의 인기는 대단하다. 유튜버 '레시피 읽어주는 여자'의 〈진짜 쉬운 전자레인지 탕후루〉 쇼츠 영상은 조회수 1118만 회(2023년 12월 12일 기준)이며, 틱톡커 '아누누'의 〈탕후루 귀신이 추천하는 최애 탕후루 맛집〉 쇼츠 영상은 조회수 423만 회(2023년 12월 12일 기준)를 기록했다. 또한 대표적인 탕후루 브랜드 '왕가탕후루'는 2017년 7월 27일 울산에 1호점을 오픈하였는데, 2023년 12월 12일을 기준으로 왕가탕후루의 전국 매장 수는 약 420개로, 연내 450개까지 확대할 계획이라고 한다. 이는 굉장히 큰 사업 규모를 보여주는 자료이다.

그렇다면 탕후루의 유행은 어디서부터 시작된 것일까. 이 또한 '인싸로 살아남는 법'의 시작으로 탕후루 유행이 탄생한 것이다. '왕가탕후루'는 인기 있는 틱톡커를 대상으로 광고를 제의했다. 그 결과, 틱톡에 뜨는 대다수 콘텐츠가 탕후루 관련 영상이었다. 영상의 반복적인 노출로 인해서 초등학생부터 대학생까지 탕후루라는 음식을 새롭게 접할 수 있었고, 탕후루의 유행은 점점 퍼져나갔다. 그렇게 탕후루를 대상으로 한 유행 따라잡기는 계속되었고, 아직까지 탕후루 열풍이 식지 않은 것으로 나타난다.

하지만 탕후루 열풍으로 인해 새로운 문제점이 나타났다. 바로 20대의 당뇨병 환자 수가 가파르게 증가했다는 것이다. 20대의 당뇨병 환자는 매년 12%씩 늘어나고 있다. 탕후루는 설탕 함량이 높기 때문에 과다 섭취 시 당뇨병에 걸릴 가능성이 높아진다. 탕후루는 100g당 약 350kcal의 열량을 함유하고 있다는 점에서 위험성이 주목된다. 이는 밥 한 공기(210kcal)의 약 1.7배에 해당하는 열량이라 탕후루를 과다 섭취할 경우 비만의 위험도 높아진다. 그 외에도 탕후루는 충치, 심혈관 질환, 소화불량 등의 원인이 될 수 있다. 결국, 탕후루의 유행에 따라가기 위해 탕후루를 과다 섭취하다 병을 얻게 된다는 것이다. 이처럼 '인싸로 살아남는 법'을 실행하는 소비자들은 제품이나 서비스 품질을 제대로 평가하지 않고, 인기에 따라 구매하는 경향을 보여 큰 위험성을 초래할 수 있다.

그쪽도 홍박사님을 아세요?
49금 챌린지와 '인싸로 살아남는 법'

조주봉의 '홍박사님을 아세요?' 챌린지는 2023년을 대표하는 유행 콘텐츠였다. 조주봉 캐릭터는 개그맨 조훈의 부캐릭터로, 49금 콘셉트를 가지고 있다. 이는 코미디 프로그램 <메타코미디클럽>에서 처음으로 등장하였고, 조주봉 캐릭터는 등장과 동시에 큰 화제를 모으며, SNS에서 밈으로 급속도로 퍼져나갔다. 그리고 2023년 7월 5일 '홍박사님을 아세요?'라는 곡을 발매하며, 대표 안무와 함께 챌린지를 시작하였다. '홍박사님을 아세요?' 뮤직비디오는 638만 회(2023년 12월 12일 기준)를 달성할 만큼 높은 인기를 자랑하며, 많은 사람들에게 재미와 웃음을 주었다.

'홍박사님을 아세요?' 챌린지 유행에 편승하기 위한 영상들의 수와 인기도 상당했다. 인스타 릴스에 6만 2천 개 이상(2023년 12월 12일 기준)의 챌린지 영상이 제작되었으며, 틱톡에도 6만 4천 개 이상(2023년 12월 12일 기준)의 챌린지 영상이 만들어져 있다. 이처럼 '홍박사님을 아세요?' 챌린지는 '인싸로 살아남는 법'의 심리를 잘 이용해 성공한 것이다.

그런데, 해당 노래의 가사에는 유행이라는 틀에 갇혀 가볍게 듣고 흘려 넘기기에는 다소 난해한 부분이 담겨 있어 불편함을 드러내는 사람들도 많았다. '홍박사님을 아세요?'의 가사는 '옛날에 한 처녀가 살았는데 가슴이 작은 게 콤플렉스였어요. / 그래서 이쪽으로 유명한 홍박사님을 찾아갔걸랑요. / 그랬더니 이 운동을 하면 가슴이 커진다는 거예요.' 등의 내용을 담겨 있다. 이처럼 일부 사람들에겐 충분히 불편할 만한 49금 가사임이 드러났다. 이 노래는 초등학생까지도 즐기며 재밌게 부르곤 한다. 초등학생도 부르는 노래의 가사라고 보기엔 논란의 여지가 다분하다. 그렇기에 초등학생이 '인싸로 살아남는 법'을 하며, '홍박사님을 아세요?' 챌린지에 참여하는 것은 올바른 가치관 형성을 저해할 가능성도 있다는 의견도 많다. 한편, 2023년 11월 7일 조주봉은 '할 말이 없네' 노래를 발매하고 새로운 챌린지를 확산시키고 있는데, 이 또한 49금 가사로 새로운 논란이 야기될 가능성이 있다. 이처럼 숏폼 콘텐츠 중 일부 유해한 챌린지의 유행으로 눈살을 찌푸리게 하는 모습을 보일 수도 있다.

어린이들의 장난감, 당근칼과 '인싸로 살아남는 법'

요즘 초등학생들 사이에서는 인싸 아이템으로, 당근칼이 유행이다. 당근칼은 칼집에 연결된 칼날을 펴는 방식으로 조작되는 피젯토이로, 당근칼은 손잡이가 초록색이고 칼날이 주황색이라 마치 당근을 닮았다고 하여 당근칼이라고 불린다. 이는 숏폼의 영향으로 인기가 많아졌다. 새로운 것에 쉽게 흥미를 느끼는 일부 초등학생들은 단번에 당근칼의 매력에 매료되고 말았다. 당근칼은 아이스크림 할인점, 문구점 등에 빠르게 배치되며 초등학생들이 손쉽게 당근칼 구매까지 가능한 상황에 도달했다.

그런데 초등학생의 당근칼 구매 접근이 용이해지면서 학부모의 근심은 커져간다. 온라인상에서 당근칼을 멋있게 조작하는 방법을 다룬 숏폼부터 당근칼로 사람의 몸을 찌르는 흉내를 내는 모습 등이 공유되고 있기 때문이다. 이에 대한 의견으로는 '다들 어렸을 때 칼 장난감 가지고 놀지 않았는가?', '그건 그저 장난감일 뿐이다.' 등의 당근칼 찬성 의견과 '칼부림 사건도 일어난 지 얼마 안 되었는데….', '아이가 폭력성을 띨 수 있다.' 등의 반대 의견이 대립하며 논란은 식을 줄도 모르는 상태이다. 결국 경기도교육청에 대한 행정사무감사에서 당근칼의 논란이 제기되기도 하며, 큰 사회적 문제 중 하나로 떠오르게 되었다.

이처럼 '인싸로 살아남는 법'의 행위는 '홍박사님을 아세요?' 챌린지, 인싸 아이템 당근칼의 열풍과 같이 새로운 챌린지나 제품을 유행시킬 수 있다. 다만 유해한 챌린지나 제품까지도 확산시킬 수 있으며, 그로 인해 사회에 부정적인 문화를 만들 수 있다는 것을 명심해야 한다.

히키코모리의 '인싸로 살아남는 법'

'히키코모리'는 일본어로 '(특정 장소에) 틀어박히다'라는 뜻을 가지고 있다. 히키코모리라는 단어는 원래 어려운 상황을 피하기 위해 산이나 시골에 숨어 지내는 정치인들에게 쓰이는 말이었지만, 최근에는 6개월 이상을 가족 이외의 사람들과 커뮤니케이션을 하지 않는 등 일체의 사회적인 관계를 거부하고, 자신의 방이나 집에서 거의 나오지 않는 사람들을 지칭하고 있다. 이러한 히키코모리의 원인은 다양하게 추정되는데 특히 가정환경의 문제, 사회문화적 요인, 선천성 장애와 성격 등이 원인으로 지목된다.

그중에서도 우리는 사회문화적 요인에 집중할 필요가 있다. 현재 각종 숏폼 플랫폼을 들어가 보면, 보통은 다 부유하며 멋있고 행복한 삶을 살고 있을 것이라 예상되는 크리에이터가 대다수이다. 그리고 시청자들은 그들의 재산, 외모, 가족, 인맥 등을 부러워하며 상대적 박탈감을 느끼곤 한다. 그러다 자격지심의 정도가 심해지면 사람들과 커뮤니케이션을 하지 않고, 사회적인 관계를 거부하게 되는 경우도 있다. 이와 관련해서 '인싸로 살아남는 법'을 하고 싶지만, 상황에 따라 할 수 없는 사람들도 다수 존재한다. 즉, 숏폼에서 본 유행에 편승하고 싶어도 경제적인 이유나 성향의 이유로 참여하지 못하는 것이다. 그런 과정이 반복되다 보면 심리적으로 위축될 가능성이 크다는 문제점이 있다.

허세족의 '인싸로 살아남는 법'

히키코모리의 '인싸로 살아남는 법'은 유행에 편승하지 않으므로 생기는 문제점이었다. 반면, 유행에 과도하게 편승하려고 해서 생기는 문제점도 있다. 바로 허세족의 '인싸로 살아남는 법'이다. 그들은 어떤 유행이든지 편승하고 과시하려고 하는 특성이 있다. 예를 들어, 오마카세가 유행이라 10만 원 상당의 한 끼 식사를 하거나, 골프가 유행이라 300만 원 상당의 골프채를 사거나, 해외여행이 유행이라 500만 원 상당의 여행을 다니는 모습을 보이는 등 보여주기식 과소비를 하는 경향을 보인다. 이처럼 허세족은 '인싸로 살아남는 법'을 하면서 과시하기 위해 본인의 경제적인 수준에 맞지 않는 비용을 지불한다는 사회적 논란이 존재하기도 한다.

4. 나의 '인싸로 살아남는 법'

사실, 나는 그 누구보다 '인싸로 살아남는 법'에 진심이다. 그렇다고 해서 올바른 '인싸로 살아남는 법'을 추구하고 있는지는 모르겠지만 나의 주관은 뚜렷하게 정리할 수 있다. 그래서 '인싸로 살아남는 법'과 더불어서 유행과 연관된 나의 경험과 견해를 소개하고자 한다.

학창 시절, 누구나 인싸가 되고 싶었을 것이다. 사춘기 시절의 학생들은 타인과의 관계에서 소속감과 인정을 갈구하는 경향이 있으며, 새로운 경험과 즐거움을 추구하는 경향이 있다. 그렇기에 인싸는 유행을 선도하기도 하지만 오히려 유행을 따라가면서 소속감과 인정을 느끼고, 다른 사람들과 교류하고 새로운 경험을 하면서 즐거움을 느끼기도 한다. 그렇기에 모든 학창 시절의 친구들은 유행에 민감한 것이라 판단한다.

물론 나도 학창시절에 같은 경험을 했다. 무리에서 뒤처지기도 싫고, 인기 있는 제품을 구매하여 관심을 얻고 싶기도 했다. 2017년 한참 롱패딩의 열풍이 불었던 시기가 있다. 당시에 인기 있는 제품은 품절 상태라 대기를 해야 했고, 기다림 끝에 롱패딩을 얻었을 수 있었다. 이 과정에서 나의 만족감은 상당히 컸다. 애초에 관심도 없던 롱패딩이지만, 유행에 따라 산 롱패딩이기에 무엇보다도 애지중지 아끼며 입고 다녔다. 그로 인해 나는 친구들 무리 사이에서 소속감과 인정을 느낄 수 있었다.

혹자는 나처럼 유행을 추구하는 사람들에게 "그렇게 남들과 똑같이 하는 것이 뭐가 좋은가?"라고 물어보기도 한다. 지금 유행하는 것이 얼마 지나지 못하고 지고, 다시 새로운 유행이 나타난다고도 한다. 그리고 "그러다가 너만의 정체성을 잃어버리고 남들과 다 같아질 것"이라고 한다. 하지만 내 생각은 다르다. 유행을 따라가고자 하는 것은 결국엔 인간의 본성이라고 생각한다. '남의 떡이 더 커 보인다.'는 속담처럼 과거에도 타인의 것을 부러워하며 유행을 따라가는 일이 비일비재했고 앞으로도 그럴 것이다. 그렇기에 현재 일어나고 있는 '인싸로 살아남는 법'의 현상을 부정적으로만 바라보지 않는다.

그래서 22살 대학생이 된 나는 지금도 '인싸로 살아남는 법'을 진행 중이다. 현재, 나는 탕후루를 매일같이 배달시켜 먹는다. 물론 탕후루를 접하게 된 것은 숏폼의 콘텐츠의 유행 때문이었지만, 지금까지 탕후루를 먹는 이유는 내 입맛에 맞기 때문이다. 결국엔 본질이 중요하다는 말이 하고 싶었다. 유행을 따라간다고 해서 모두가 획일화되고, 유행이 끝난다고 해서 그 사람의 취향이 바뀌는 것도 아니다. 그저 접하게 된 계기가 숏폼일 뿐, 나는 나의 취향과 본질이 확실하다. 그렇기에 정말 중요한 것은 숏폼으로 접하게 된 제품이나 서비스라도 개인의 판단으로 취향을 구분하는 것이다. 따라서 유행을 따른다고 해서 고유한 나의 정체성은 변하지 않을 것이다.

그리고 나는 숏폼 플랫폼을 이용할 때의 새로운 습관이 생겼다. 그것은 바로 조회수가 높은 숏폼 콘텐츠를 골라서 보는 것이다. 조회수가 높다는 것은 영상의 내용이 더 유익하거나 더 재밌다는 것을 반증한다고 생각한다. 실제로 조회수가 높아서 시청한 영상들 모두 유익하고 재밌었다. 특히 실생활에 도움이 되는 꿀팁 영상들은 볼 때마다 저장해 둔다. 그리고 써먹을 수 있는 상황에 꿀팁을 쓰는데, 그럴 때마다 많은 도움이 된다. 이미 저장한 꿀팁 영상만 수두룩하다. 이처럼 숏폼 플랫폼을 잘만 이용한다면 효율적인 삶을 사는 데 더욱 효과적이다.

또한 나는 숏폼 플랫폼을 이용하면서 새롭게 결심한 것이 있다. 나도 한번 헬스에 도전해 볼까 한다. 아무래도 주위 친구들도 헬스를 많이 하고 숏폼 플랫폼에도 관련된 콘텐츠가 뜨다 보니, 생전에 관심 없던 운동에 대한 열정이 점점 치솟는 중이다. 자기관리에 대한 동기부여를 받을 수 있다는 점에서 운동 관련 숏폼 콘텐츠는 나에게 굉장히 유익했다.

이와 같이 숏폼을 통한 유행을 따라가면서 나는 긍정적인 삶을 살고 있는 중이고, 앞으로도 그럴 예정이다. 그래서 나는 내가 사는 삶을 사람들에게 소개하고 싶어서 이 글을 쓰기도 했다. 모두들 긍정적인 삶을 살게 해주는 '인싸로 살아남는 법'에 도전해 보길 바란다.

5. 앞으로 우리는

'인싸로 살아남는 법'을 현명하게 이용하는 법

우리는 '인싸로 살아남는 법'을 통해 부정적인 결과가 아닌 긍정적인 결과를 만들어내야 한다. 그래서 나만의 현명한 '인싸로 살아남는 법'을 소개하고자 한다.

첫째, '인싸로 살아남는 법'은 소비자들의 합리적인 판단을 저해할 수 있다. 따라서 소비자는 숏폼으로 접한 유행을 자세히 살펴보며, 밴드왜건 효과에 의해 자신의 판단이 왜곡되지 않도록 주의해야 한다.

둘째, '인싸로 살아남는 법'은 부정적인 문화를 창출해 낼 수 있다. 그렇기에 부정적인 콘텐츠를 구별하고, 유해성이 큰 콘텐츠는 소비를 피하는 태도를 지녀야 한다. 또한 국가에서도 관련 제도나 교육을 도입하여 유해한 콘텐츠를 제재해야 한다.

셋째, '인싸로 살아남는 법'에 과하게 몰입하지 말아야 한다. 기본적으로 자기 자신을 사랑하고 발전시키기 위한 도구로써 '인싸로 살아남는 법'을 이용하는 것은 긍정적이지만, 오히려 자기를 혐오하거나 분수에 맞지 않지만, 과시의 용도로 사용하는 것을 절대적으로 지양해야 한다.

이 세 가지 수칙을 지킨다면 '인싸로 살아남는 법'의 긍정적인 결과를 불러일으킬 수 있을 것이다.

'인싸로 살아남는 법'은 변화하는 시대에 대응하며 사는 법

앞으로도 미디어의 발전은 기술 발전에 따라 빠르게 가속화될 것이다. 지금의 숏폼 플랫폼과 콘텐츠는 더욱 다채로워지고, 절대적인 양 자체도 많아질 예정이다. 하지만 달리 생각해 보면 숏폼 플랫폼이 사라지고 새로운 플랫폼이 떠오를 수도 있다. 그래도 결국 변하지 않는 건, 어떤 시대나 사회가 와도 그에 걸맞은 유행은 계속 존재한다는 것이다. 즉, '인싸로 살아남는 법'처럼 숏폼 플랫폼이 아니더라도 새로운 플랫폼을 통해 우리는 새로운 유행에 적응해야 한다. 그래야 새로운 시대에 대응하며 적응하고 살 수 있다.

모두들 과거 유행했던 제품이나 서비스를 생각해 보자. 예를 들어, 허니버터칩이 유행할 때가 있었고, 대왕 카스텔라가 유행할 때가 있었고, 달고나커피가 유행했을 때도 있다. 이처럼 유행은 변하고 또 변한다. 하지만 모두가 변하는 것은 아니다. 잠깐의 유행일 줄 알았던 불닭볶음면, 허니브레드 등 아직도 우리의 곁에 있는 것도 많다. 더 넓게 본다면, 우리의 일상생활에서 사용하는 대중화된 제품이나 서비스는 대다수 유행으로부터 시작된 것이다. 스마트폰의 대중화는 스마트폰의 유행으로부터 이뤄졌고, 에어팟의 대중화도 에어팟의 유행으로부터 이뤄졌다. 어찌 보면 시대의 흐름에 따라가기 위해서는 유행을 따르는 것이 선택이 아니라 필수적인 것일 수도 있다.

'인싸로 살아남는 법'을 넘어 유행을 예측하는 법

지금도 마찬가지지만, 특히 미래에는 유행을 따라가는 것보단 남들보다 빠르게 유행을 예측할 수 있는 능력을 갖추는 것이 더욱 중요해질 것이라 예상한다. 따라서 번외로 유행을 예측하는 방법을 소개하고자 한다.

먼저 유행은 돌고 돈다는 말을 들어본 적이 있을 것이다. 1990년에 유행했던 청청패션은 2010년대에 유행했고, 2000년대에 유행했던 Y2K패션은 재차 2020년대를 강타했다. 물론 시대의 발전에 따라 유행이 바뀌는 속도가 점점 빨라지긴 하지만, 결국 유행은 다시 돌고 또 돈다. 이를 활용하면 다음 유행을 예측할 가능성이 높아진다. 실제로 패션 업계에선 패션에 대한 유행패턴을 분석하며 내년에 유행할 가능성이 높은 아이템을 추천하거나 제작한다. 그리고 과거의 유행했던 것에 대한 재해석을 통해 아예 새로운 유행을 만들기도 한다. 이러한 문화적 특성을 고려하면 유행을 예측할 수 있고, 과거 유행으로부터 새로운 것을 창출해 낼 수도 있다.

또한 얼리 어답터의 동선을 빠르게 관찰해본다면, 유행을 예측할 가능성이 높아질 것이다. '얼리 어답터'란 제품이 출시될 때 가장 먼저 구입해 평가를 내린 뒤 주위에 제품의 정보를 알려주는 성향을 가진 소비자군이다. 그들이 관심을 가지고, 긍정적인 후기를 남긴 새 제품이나 서비스라면 유행이 될 가능성이 높다. 물론 본인이 직접 얼리 어답터가 되어 새로운 제품이나 서비스가 공개될 때, 제일 먼저 접해보고 판단할수록 유행을 더 빠르게 예측할 수 있다. 다만 그러기 위해선 관련된 지식들이 풍부해야 하므로 한 분야에 대한 많은 공부시간이 뒤따라야 가능할 것이다.

그 외에도 유행은 사회의 변화와 문화의 흐름을 반영하는 경우가 많기 때문에 사회적, 문화적 트렌드를 파악하는 것이 중요하다. 추가로 최근에는 데이터 분석을 활용하여 유행을 예측하는 방법이 주목받고 있다. 데이터 분석을 통해, 과거의 유행 데이터를 분석하고, 이를 통해 미래의 유행을 예측할 수 있다. 그리고 유행을 예측하는 것은 기존의 틀에서 벗어나는 창의적인 사고가 필요하기 때문에, 기존의 유행과는 다른 새로운 시각으로 유행을 예측하는 것도 좋은 방법이다. 이와 같은 방법들을 활용하면 유행을 예측하는 데 도움이 될 수 있을 것이라 생각한다.

6. 책의 다른 저자들에게 물었다.
- 유행을 따라가는 것에 대해 어떻게 생각해?

- **김동환**

"유행도 결국 사람들의 수요가 많기 때문에 이뤄지는 자연스러운 쏠림 현상이라고 생각한다. 일종의 유행은 증명된 공식처럼 무난함이 뒤따른다. 그렇지만 너무나 천편일률적으로 같은 유행만이 존재한다면 우리 사회에 다양성은 점점 사라질 것이다. 잠깐 왔다가는 유행이기에 너무 민감하게 따라 하고자 억지로 노력하고 싶지는 않다."

- **정준영**

"유행을 따라간다는 것이 무조건 나쁘다고 생각하지 않는다. 적당하다면 트렌드 해보이고, 대인 관계에도 긍정적인 영향을 끼치기 때문이다. 그러나, 본인의 상황을 고려하지 않는 무조건적으로 따라 하고 것은 오히려 본인의 개성을 잃어버리기 때문에 지양해야 한다고 생각한다."

- **김지윤**

"사실 유행이라는 것이 상대적인 것 같다는 생각을 한다. 내가 어떤 사람과 의사소통을 하느냐에 따라 향유하는 문화가 각기 다르기 마련이다. 내가 속한 집단 속에서 유행하는 생활을 함께 공유하고 누리는 것은 전혀 이상한 일이 아니다. 그러나 그 유행을 무분별하게 수용하는 태도를 조심해야 할 필요가 있다. 내가 나를 잃어가는 그저 따라가는 행위를 좇다가는 얻는 것은 아무것도 없을 것이다."

- **이가현**

"유행에 뒤처지고 싶지 않은 것은 사실이나 유행에 살고 유행에 죽고 싶지는 않다. 너무 많은 사람이 동시다발적인 유행을 따라가면 그것은 쉽게 시들기 마련이다. 그 축에 끼고 싶지 않고 멀리서 지켜보며 나에게 맞는 유행 정도는 따라 하고 싶은 딱 그 정도의 심정이다."

- **김시현**

"유행을 따라간다는 것, 누군가가 던진 화젯거리들에 치우치고 휩쓸리는 거라고 생각하지 않는다. 트렌드의 흐름을 따라가는 것을 좋아하는 사람으로서, 유행을 따라가는 것은 본인의 센스와 순발력이 어느 정도 드러나는 행위라 생각한다. 유행 안에서 무언가를 즐기는 새로운 '나'를 만나는 그 순간들이 너무 재미있다."

4

우리는 지금, 허세증후군에 시달리고 있다.

1. 내가 본 타인의 모습은 유독 SNS에서 빛난다.

핸드폰을 켜고 스크린 타임(핸드폰 총 사용 시간과 애플리케이션별로 사용 시간을 확인할 수 있는 iOS 시스템 중 하나) 혹은 기기 사용 시간을 확인해 보자. 나는 하루에 얼마나 많은 시간을 SNS에 할애하는가? 기존의 유행은 사라지고 또 다시 새로운 유행을 생성하는 시대에 지금 우리는 살고 있다. 요즘 유행하는 것이 무엇인지 파악하기 위해서 당신은 어떤 방법을 활용할 것인가?

본인이 사용하는 SNS에서 그 방법을 찾을 수 있다. 당신의 알고리즘에 떴던 연예인과 인플루언서의 게시물, 당신의 지인이 올린 게시물과 스토리, 또 생판 모르는 남이 올렸던 일련의 이미지와 동영상을 하나하나 떠올려보자. 이것들은 모두 같은 방향으로 흘러가고 있을 것이다. 반짝반짝 빛나고 행복한 순간만을 담아 서로가 서로에게 공유하고 있다.

SNS가 갓 활성화되던 시기, 나의 주변에서는 카카오스토리, 페이스북이 떠오르기 시작했다. 단순히 생활을 기록하고, 프로필 사진을 업로드하고, 멀리서도 소식을 주고받기 위해서 사용되었던 SNS의 모습은 점차 변화해갔다. 정보기술이 발달하고 소통망의 수단이 다양해지면서 서로의 소식을 빠르게 공유할 수 있게 되었다. 시간에 국한 받지 않는 상호작용의 시기에서 나아가, 우리는 사용자가 만들어내는 콘텐츠를 클릭 한 번으로 감상할 수 있게 된 것이다. 지금 2030세대에서 많이 활용하며 의사소통을 주고받는 애플리케이션(이하 앱)으로는 인스타그램이 가장 대표적이다. 사용자의 특성에 따라 '피드(feed)'에 등장하는 다양한 콘텐츠를 향한 관심이 현재 SNS에 대한 2030세대의 인식 조성에 기여했다. 인스타그램을 모르거나 한 번도 이용해 보지 않은 청년이 얼마나 될까? 물론, 과시와 허세로 범벅이 된 SNS를 인지하고 나면 생각이 달라질 수도 있다.

얼마나 좋은가. 이전보다 더 발달한 정보통신의 기술로 언제 어디서나 타인과 나의 소식을 공유할 수 있게 되었다. 글 몇 자, 사진 몇 장으로 사람을 판단하는 시대가 도래한 것이다. 이렇게 우리는 서로의 소식과 일상을 공유하며 타인을 알아가고 있다. 그런데 우리가 SNS로 관찰하는 타인의 일상이 진짜 그 사람의 생활을 가감없이 진실한 모습으로 비추고 있는 것일까? 흘러가는 대로 넘겼던 그리고 보이는 대로만 믿었던 생활에, 우리는 우리도 모르는 사이 SNS의 편향된 시각에 중독되고 있을지도 모른다. 이 의심을 가벼이 여겨서는 안 된다.

와이즈앱 · 리테일 · 굿즈가 한국인 스마트폰 사용자를 대상으로 조사한 결과, 2023년 4월 인스타그램 앱 사용자 수가 2,167만 명으로 역대 최대 사용자 수를 기록했다고 밝혔다. 한국인 스마트폰 사용자 5,120만 명의 42%가 인스타그램 앱을 사용한 셈이다. 인스타그램 앱의 사용자는 2022년 4월 1,906만 명에서 2023년 4월 261만 명이 증가하며 높은 수치를 기록했다. 현재, 인스타그램의 사용자 수가 많다는 것은 이가 우리의 삶을 연결하는 수단으로 자리매김했다는 의미이다. 사회 관계망이 인스타그램을 매개로 구축된다고 해도 과언이 아닐 정도의 수치를 보여주고 있다는 점은 실로 놀라운 사실이다.

인스타그램과 허세증후군의 상관관계

허세증후군은 인스타그램의 시작과 함께 생겨난 신어라고 볼 수 있다. 우리는 타인이 공유한 이야기에 얼마나 많은 시간을 할애하며 살아갈까? 소식을 매개하는 역할로, 소통의 창으로 사용하는 SNS는 우리가 객관적으로 인지하지 못할 정도로 삶에 녹아 들었다. 증명하기 쉽지 않고, 보이는 대로 믿을 수밖에 없는 SNS 특성상, 눈에 보이는 일부의 모습에 현혹되어 살아간다. SNS는 본인이 가장 빛날 때의 모습을 담고 있다. 이 점이 인스타그램과 허세증후군을 연결하는 중요한 지점이 된다. “내가 이렇게 맛있는 음식을 먹어”, “내가 이렇게 멋진 장소를 방문했어”, “내가 이렇게 멋진(유명한) 사람들과 함께 시간을 보냈어”를 인증하는 공유방식은 일종의 경쟁을 불러온다.

'허세증후군'은 '허세'와 '증후군'을 합친 말로, 사람들이 과장된 행동이나 허세적인 행동을 보이는 현상을 일종의 병리 현상으로 구분하는 합성어이다. 쉽게 말하면 능력, 성과, 재산 등에 대한 과장된 자기 홍보나 과시적인 행동을 생각할 수 있다. 능력이나 성과에 대한 자부심을 과도하게 드러내고, 다른 사람들에게 이를 계속해서 과시하거나 어필하는 행동이 허세증후군에 속한다.

SNS를 사용하고 있는 청년이라면 인스타그램과 허세증후군의 연관성이 직관적으로 잘 느껴질 거라 생각한다. 본인도 모르는 사이에 허세증후군이 우리의 삶 근처에 접근하게 된 이유를 인스타그램의 특성과 함께 알아볼 예정이다.

나는 허세증후군 앞에 얼마나 떳떳한 사람인가.

인스타그램을 자주 사용하는 20대로서 허세증후군에 대해 작성하며 나는 이 주제 앞에 얼마나 떳떳한 사람인가 생각해 보았다. 허세증후군에 속하는 사람이 아닐지라도 나는, 그리고 우리는 분명 본인의 의지와는 상관없이 '업로드를 위한' 사진을 찍고 있는 듯하다. 당신의 인스타그램 사용 양상은 어떠한가? 타인에게 보이기 위한 생활 습관이 본인도 모르는 사이에 깃들어 있는 것은 아닌지 생각해 볼 필요가 있다. 무의식중에 자리 잡은 SNS 소비 생활방식은 언젠가 우리를 과시와 허세의 세계에 빠뜨려 불안과 우울을 겪게 할 수 있다.

언제부터 우리의 삶에 SNS가 녹아들었을까? 써야 하는 꽤 오래전부터 이어져 온 일종의 유행이라고 볼 수 있다. 인스타그램이 사람들의 생활과 함께하면서 많은 기술적인 부분에서 변화를 시도해왔다. 단순히 피드를 업로드하는 수준에서부터 24시간 동안만 확인할 수 있는 '스토리(story)'의 생성과, 새로운 미디어와 오디오를 결합하여 생성할 수 있는 '릴(reel)'의 출현까지. 지속적으로 사용자를 유지하고 나아가 더 많은 사용자를 유입할 수 있게끔 꾸준히 개발되어 왔다. 단순히 업로드되는 피드에 대한 커뮤니케이션에 그치지 않고 새로운 콘텐츠를 제시함으로써 인스타그램 사용자들이 앱에 긴 시간 머무르게 하였고, 더욱 많은 사용자들이 인스타그램을 사용하게 만들었다.

결국 우리가 많은 콘텐츠에 노출된 만큼 일상의 일부분으로 녹아들었음을 확인할 수 있는 셈이다. 그렇다면 이쯤에서 다시 생각해보자. '나는 허세증후군이 아니야'라고 자신할 수 있는가? 유행에 따라가기 위해 혹은 나를 설명하는 예쁘고 좋은 사진이 나와서, 타인에게 자랑하기 위한 수단으로 SNS를 단 한 번도 소비해보지 않았는지 냉철하게 생각해본다면 이번 챕터를 흥미롭게 읽을 수 있을 것이다.

2. SNS가 대체 뭐길래?

SNS에 대한 기본적인 이해

SNS는 Social Network Service의 약칭으로 한국말로는 누리소통망이다. 사회적 관계 소통망의 성격이 강하게 있으며 직접 대면하지 않고도 소통할 수 있는 체제를 갖춘, 현대에 없어서는 안 될 생활의 필수적인 요소로 자리 잡았다. 인스타그램 등장 이전인 2004년, 서비스를 개시한 페이스북(Facebook)이 세계에서 가장 큰 SNS 플랫폼으로 성장한 사례가 있다. SNS의 등장과 함께, 페이스북과 같은 SNS 서비스의 활용이 인터넷 서비스의 주류가 되었으며, 사람들은 이 같은 양상을 보편적으로 공유하게 되었다. 이로써 SNS는 모두가 향유하는 하나의 문화로 자리매김하면서 SNS 플랫폼 시장이 발전하고 확대되는 것이다.

SNS의 대표적인 기능이자 유용하게 활용되는 점은 이용자의 성별, 연령, 문화적 취향, 이데올로기가 이용자의 선호대로 자유롭게 표출 가능하며, 의견을 주고받는 데 제약이 없다는 것이다. 선택적으로 공개 및 공유가 가능하며 대인 관계망의 종류와 구조가 다르게 제시된다. 이에 따라 네트워크의 범위 확대가 가능해지고, 의사소통하는 이용자별 서로를 연결한다는 점도 SNS의 이점이 된다. 그러나 상호관계를 맺는 데 있어 제약 없이 접근 가능하다는 점에서 문제가 제기된다. 정보통신기술의 발달로 소통망에 업로드되는 인물의 신상이나 개인정보의 민감성이 바로 그것이다. 이는 SNS를 활용하며 끊임없이 회자되는 이슈인데, 사적인 공간으로 활용되는 가상 플랫폼인 만큼 정보 사용에 있어 사회적으로 주시받고 있는 현상을 잘 보여준다. 우리가 개인정보 유출에 민감하게 반응해야 하는 이유도 여기에 있다. 인터넷을 활용하여 소통한다는 특성상 깊이 생각하지 못했던 부분에서 발견하는 문제들이 우리를 괴롭힐 때가 많다. 작성한 댓글은 물론, 누군가와 주고받은 이야기 하나하나가 기록되어 남아있다는 것은 감시받는 것과 유사한 일일 것이다.

시대의 흐름에 따라 소비하는 SNS의 행태도 다양하다. 책을 집필하고 있는 현재, 허세증후군을 포함한 2030세대의 모습을 관찰하고 가장 유연하게 활용하고 있는 앱은 단연 인스타그램일 것이다. SNS 플랫폼도 유행을 탄다. 누가 어떻게 SNS 플랫폼을 활용하고 얼마나 많은 사람이 사용하는가는 유행을 좇기 위한 젊은 청년들의 호기심을 자극하기 적합하다.

SNS 플랫폼의 유행 흐름을 생각해보자. 나와 나의 세대가 한창 스마트폰을 사용하기 시작하고 소통하기 위해 선택했던 플랫폼은 카카오스토리였다. 또, 시대와 기술이 향상해가며 서로의 일상을 공유할 수 있는 것으로 페이스북을 주로 사용했다. 기술의 발달에 따라 플랫폼의 유행은 나아가 인스타그램으로 전환되었다. 꽤 오랜 기간 동안 인스타그램의 인기가 유지되어 왔으며 그 결과 현재까지 많은 사람이 사용하고 있다. 젊은 세대를 연결하는 대표적인 매체로 줄곧 인스타그램이 활용되었다는 이유에서 허세증후군과 인스타그램을 연결 짓지 않고서는 설명하기 어려워졌다고 볼 수 있다.

인스타그램! 대체 뭐길래?

다음은 2023년 5월 31일에 인스타그램 공식 사이트에 업데이트된 인스타그램 알고리즘에 관한 설명이다. 인스타그램에서 알고리즘이 제공하는 분야에는 피드, 스토리, 탐색, 릴(스), 검색(돋보기)이 있으며 각각 별도의 알고리즘이 작용한다. 홈 피드는 사용자의 관심사가 전부 뜨는 탭의 개념으로 이해하면 쉽다. 사용자가 팔로우하는 계정의 게시물을 비롯하여 적당한 비율로 사용자에게 맞춤화된 알고리즘이 작동하고 홈 피드에 노출시킨다. 인스타그램이 사용자의 데이터를 취합하는 것이다. 게시물에 대한 정보, 사용자가 팔로잉하는 타인의 정보, 게시물에 '좋아요'를 누르는 정보, 다른 사용자와 어떤 게시물에 어떤 빈도로 이야기를 주고받았는지 등과 같은 다양한 시그널에 따라 특성 있는 게시물이 사용자의 피드에 뜨게 된다. 피드에 뜨는 게시물들은 일정한 순위를 가지게 되는데, 피드 전체에서 알고리즘에 기여하는 활동은 다음과 같다.

- **게시물에 대한 정보:** 게시물이 얼마나 인기가 있는지에

대한 신호이다. 얼마나 많은 사람들이 게시물에 '좋아요'를 누르고 댓글을 달고 공유하고 저장하였는지를 확인할 수 있다.

- **업로드한 사람에 대한 정보:** 해당 업로드가 사용자에게 얼마나 흥미로울지에 대한 정보이다. 해당 게시물을 업로드한 사람과 사용자 본인이 얼마나 상호작용하였는지와 같은 신호를 포함하는 작용이다.
- **사용자의 활동:** 사용자가 공유하거나, 저장하거나, '좋아요'를 누르거나, 댓글을 단 게시물이 알고리즘 선정에 작용한다.
- **누군가와 상호작용한 이력:** 사용자가 특정 사람의 게시물을 보는 데 일반적으로 얼마나 관심이 있는지 알 수 있는 정보이다. 서로의 게시물에 댓글을 다는 것이 해당 영향에 작용한다.

인스타그램은 몇 초 동안 게시물에 머무는지를 비롯하여 게시물을 공유하고, 댓글을 달고, '좋아요'를 누르고, 프로필 사진을 탭할 총 다섯 가지 가능성을 종합한 상호작용을 면밀히 관찰한다. 해당 조치에 큰 비중을 둘수록 피드에서 더 높은 순위에 해당하는 게시물이 뜨게 되는 것이다.

그렇다면 인스타그램이 유행한 이유는 무엇일까? 인스타그램은 소식을 공유하는 매체로써 수많은 사용자가 활용에 가담하며 함께 끊임없이 공유하는 매체 속, 유행이 생성되고 사용자들이 소비하는 데 작용하는 수단과 플랫폼으로 자리매김한 효과가 크다. 글과 영상, 사진으로 소통하고 있는 현재, 의사소통하기 가장 유용한 수단으로 인스타그램이 자리매김한 데는 여러 가지 이유가 있지만 그중에서 몇 가지 강조하고 싶은 부분을 소개한다.

첫째, 표현의 강조점이다. 사용자의 일상, 환경 등 사진과 함께 일상을 공유할 수 있다는 점에서 시각적인 인지 효과가 뛰어나다. 인스타그램은 주로 사진과 간단한 동영상을 공유할 수 있는 플랫폼으로, 사용자의 시청 기록과 팔로우하는 목록의 유형에 따라 맞춤 콘텐츠가 제시된다. 이는 사용자가 관심있어 하는 더 많은 콘텐츠를 목록에 띄운다.

둘째, '좋아요'와 팔로우 시스템이다. 2030세대가 한번 SNS를 사용하기 시작하면 끊을 수 없게 되는 문제점도 바로 여기에 있다. 인스타그램은 다른 사용자들의 활동을 보여주는 '좋아요(like)'와 '팔로우(follow)' 시스템을 결합하는 체제를 갖추었다. 그래서 사용자들은 자신의 콘텐츠가 누구에게 그리고 얼마나 많은 사람들에게 보이고 관심을 받는지 신속하게 피드백을 주고받을 수 있다는 커뮤니케이션의 부분이 부각된다.

셋째, 유명인과 유명브랜드의 참여이다. 사용자들이 관심있는 소재에 따라 집중적으로 콘텐츠를 생성하는 사람들이 늘어나면서 일명 '셀럽'들이 대거 등장했다. 연예인뿐만 아니라 셀럽과 브랜드와의 협업, 공동구매 등의 활동이 이루어지고 SNS에 공유되면서 커뮤니케이션의 장으로 플랫폼의 인기를 높였다. 이러한 활동은 사용자들에게 더 많은 흥미로운 콘텐츠를 제공하게 된다. 더 나아가 본인이 좋아하는 브랜드나 유명인이 협업하는 제품이나 콘텐츠의 경우, 소비하려는 경향이 크고 취향에 따른 노출에 타격을 입기 쉽기 때문에 지속해서 소비하는 굴레에 빠질 수밖에 없게 되는 것이다.

3. 허세는 관심을 먹고 자란다.

Youtube(유튜브)에 생성되는 콘텐츠를 살펴보면 허세로 가득한 2030세대 일부의 모습을 풍자하는 경우를 어렵지 않게 관찰할 수 있다. 허세와 연관된 콘텐츠의 반응이 좋다. 허세를 풍자하는 콘텐츠가 제작되고, 제작된 콘텐츠에 사람들이 관심을 가지며 해학적으로 받아들이는 이유는 이미 많은 사람이 허세의 모습을 부정적으로 인식한다는 사실을 반증해 준다. 한편, 정작 허세를 부리는 사람들은 자신이 허세를 부린다는 사실을 자각하고 있지 못하는 듯하다. 이들은 향유하고 있는 삶이 잘못되었다는 사실보다는 어떻게든 부유하게 살아가는 모습을 사람들에게 보여주고 싶다는 마음뿐이다.

그런데 과연 허세증후군을 앓고 있는 사람들만이 허세를 부리며 살고 있다고 할 수 있을까? 허세증후군에는 심각성의 정도가 있다. 무엇을 보고, 입고, 먹는지 혹은 어디에 가고, 누구와 함께 했는지에 관해 타인에게 보이기 위해서, 그러한 목적으로 허세를 드러내는 것만이 허세증후군에 속하는 것이 아니다. 남들에 뒤떨어지는 기분이 싫어서 올리는 허세증후군의 대표적인 모습이 아닌, 본인이 예쁘고, 잘 나온 사진을 가지게 되기만 해도 '아, 인스타그램에 올려야지'라고 생각하는, 이 습관성 인식이 무서운 것이다. 많은 SNS 사용자들은 유별

난 허세증후군을 앓고 있지 않더라도 남에게 보여주기 위한 장면 장면들을 위해 허세를 양산하는 현실에 가담하고 있을지도 모른다.

특히 SNS에 접근성이 좋은 20대의 경우, 이미 허세증후군에 가까워져 있을 가능성이 높다. 나와 가까운 사람이, 내가 좋아하는 인플루언서가 어떠한 생활을 향유하는가에 따라 사람은 민감하게 반응하기 마련이다. 이러한 상태가 허세임을 인지하면서도, '나만 너무 뒤처지는 삶을 사는 것이 아닌가'하는 걱정으로 시작한 허세는 2030세대의 생활을 무너지게 만든다. 사실 많은 청년들이 SNS에는 허세와 과시가 존재한다는 사실을 이미 직시하고 있다. 그럼에도 끊임없이 부러워하고 그들과 유사한 생활을 향유하기 위해 노력한다. 여기서 주목해야 할 점은 그들이 부러워하는 대상이 '빛이 나는 것처럼 보인다'는 것이다. 실제로 그들의 생활을 두 눈으로 보았는가? 그들이 누리고 있는 것이 실로 일상적인 것인가? 어쩌면 그들의 일상은 가상으로 꾸며낸 모습일 수도 있다는 의심을 멈춰서는 안 된다.

그들의 허세, 그리고 그럴듯해 보이는 일상적인 모습에 우리가 관심을 기울일수록 그들은 허세로 하여금 자신을 허위의 세계로 둔갑하게 만든다. 허세는 관심을 먹이로 삼고, 그 먹이가 더 큰 허세의 세계로 빠져들게 한다. 결국 허세가 자신을 망치는 꼴이다. SNS를 사용하는 본인조차 자신의 내면 속 허세가 자리 잡으며 본인도 모르는 사이에 허세를 좇고 있는 현실을 마주할 때 비로소 깨닫게 된다.

인스타그램은 허세의 굴레를 낳는다.

앞서 언급했던 바와 같이 인스타그램에서 제공하는 알고리즘에 대한 무분별한 수용은 우리를 허세의 늪으로 빠져들게 만든다. 깊게 생각해보지 않으면 모를 만한 사실 중 하나는 인스타그램이 제공하는 피드, 릴스, 스토리가 각자 다른 요소로 우리를 허세 속으로 꼬드기고 있다는 사실이다. 쉽게 생각하면 인스타그램이 누리소통망으로써 역할을 수행하며 팔로우하는 주변 지인들과 소통의 기능만을 활용하고 있다고 생각했다면 오산이다.

기본적으로 제공하는 피드 탭의 경우, 사용자가 팔로잉한 사람이 올리는 게시물을 볼 수 있다. 게시물은 사진이나 동영상의 형태이다. 릴스의 경우, 짧은 동영상이라고 생각하면 된다. 사용자가 피드에 업로드하는 동영상과는 달리, 좀 더 가시적이며 짧고 굵은 포인트가 있는 세로형 동영상이다. 유튜브로 생각하면 '쇼츠(shorts)'와 비슷한 개념이다. 스토리란 24시간 후에 사라지는 탭으로, 사진과 동영상 혹은 글을 업로드할 수 있다. 모든 팔로워 또는 친한 친구 목록에 따라 공유하도록 설정할 수 있으며, 스토리 '하이라이트'를 만들어 프로필에 추가할 수 있다는 특징이 있다.

여기서 주목할 점은 요즘 2030세대에서 인스타그램을 활용하여 업로드하는 사진과 동영상의 분위기가 피드, 스토리, 릴스에 따라 각각 다른 양상을 띤다는 사실이다. 피드의 경우, 사용자 본인이 피사체가 되는 사진이 많으며 얌전하고 정적인 이미지가 주를 이룬다. “나 이렇게 예뻐(잘생겼어)”를 대표적으로 드러낼 수 있는 사진들을 관찰할 수 있다. 스토리의 경우, 일상을 공유하는 느낌으로 피드에 게시되는 이미지보다는 가벼운 이미지를 사용한다. 스토리 화면비율인 16:9에 맞춰 감성적이거나 분위기 있지만 본인의 피드에 게시하기에는 조금 아쉬운 느낌의 이미지이다. 쉽게 생각하면 A급 사진은 피드에, B급 사진은 스토리에 올리는 경향이 있다. 반면, 릴스는 분위기가 조금 다르다. 웃기거나 최근에 유행하는 콘텐츠를 모방하여 올리는 경우가 많다. 인스타그램에서 유행하는 모든 것이 이 릴스를 통해 생성되고 가공된다. 유행하는 미디어 콘텐츠를 활용하여 유행을 더욱 유행하게 만드는 데 기여하는 부분이 바로 릴스다.

피드, 스토리, 릴스 모든 요소가 허세에 영향을 미친다. 앞서 정리한 바와 같이 피드와 스토리, 릴스는 사용자가 접근하는 종류에 따라 알고리즘이 작동하게 되는데 이 알고리즘은 사용자의 특성을 전략적으로 활용하기 때문에 어쩔 수 없이 많은 시간을 들여 관찰한 미디어의 경우, 쉽게 노출될 수밖에 없다. 결국 노출된 정도만큼 자신이 관심 있는 분야의 허세에 익숙해진다. 인스타그램의 사용이 지속적으로 ‘허세가 일상적인 것’, ‘모두가 향유하는 문화가 되어버린 것’으로 인식하게 하여, 비판적이고 이성적으로 접근하지 않는 이상, 허세가 만든 잘못된 문화에 스며들게 되는 것이다. 결국 우리는 인스타그램 사용의 반복 속, 허세의 굴레에서 빠져나올 수 없다.

SNS가 야기한 허세증후군이 위험한 이유

- **자아 정체성 혼란:** 허세증후군은 자아 정체성에 혼란을 초래할 수 있다. 사람들은 자신의 진짜 모습과 SNS 속, 과장되고 만들어 낸 모습 간의 갈등에 빠져 정확한 자아를 파악하기 어려워진다. 무엇이 진짜 나인지 구분하지 못하고 비현실 세계 속에 사는 것과 같은 꼴이다.

- **사회적 비교와 불안감:** SNS는 다른 사람들과의 비교를 부추기고, 경쟁을 야기한다. 우리는 자신과 다른 사람들을 끊임없이 평가하게 되며 업로드된 일부의 모습만 가지고 편협한 생각을 가지게 된다. 내가 가지지 못한 것과 타인이 가진 것을 서로 비교하며 사회적 불안과 경쟁심을 증폭시키게 되는 것이다. 이는 정신건강에 유해한 영향을 야기하는 요인으로 작용한다.

- **사회적 유대관계의 약화:** 외부적으로 완벽한 이미지를 유지하려는 노력으로 인해 진짜 본인의 감정과 실제 경험을 나누기 어려워지며, 이의 경우 타인과의 진실하고 친밀한 관계 형성이 어려워진다.

- **올바르지 않은 소비주의적 가치 인식:** 외적인 성공과 소비적인 삶의 가치가 강조되면서 물질적 성취와 외적 성공이 강조되는 사회로 인식될 수 있다. 이는 내적 만족과는 별개로 SNS에서 가공된 삶의 가치를 잘못 인식하는 경우가 발생할 수 있으며, 굳어진 인식은 잘못된 가치관의 인식에서 나아가 진짜 나다운 삶에서 사용자를 멀어지게 할 수 있다.

- **진정한 자기표현의 어려움:** 허세증후군은 외부의 인식에 의존하는 경향이 있기 때문에 개개인이 자유롭게 자기 표현

을 하는 데 제약을 줄 수 있다. 타인의 시선에 국한되어 진실된 감정이나 특이한 취향을 나타내기 어려워지며, 개인적이고 창의적인 표현의 폭이 좁아질 수 있다.

- **현실과 디지털 세상의 괴리:** 허세증후군이 표면적인 이미지를 강조하는 동시에 실질적이고 진실된 소통이 줄어들면서, 온라인과 현실 사이 간의 괴리가 발생한다 온라인에서는 완벽한 모습을 유지하면서도 현실에서는 고립되고 외로워질 수 있다는 점을 무시할 수 없다.

- **유해한 영향 전파:** 미디어가 미치는 허세문화의 영향력은 상당하다. 특히 큰 영향력을 행사하는 인플루언서나 유명인의 행동을 모방하는 무분별한 현상은 부정적인 행동이나 허세적인 경향이 널리 퍼져 사회적으로도 부정적인 분위기를 형성할 수 있다.

4. 우리는 왜 보여주기식이 되었나?

허세는 어디서부터 시작되었을까. 처음부터 SNS가 허세와 과시의 매개체가 되지는 않았을 것이다. 잘 사는 모습을 간접적으로 보이고 싶고, 괜찮아 보이고 싶고, 어디 가서 주눅들지 않고 당당하게 살아가는 모습을 타인에게 보여주기 위해서 시작했던 작은 바람이 나와 주변을 함께 물들이기 시작했다. 점점 새로운 기술이 생성되는 SNS를 사용하기 시작하면서 더 많은 사람과 더 많은 콘텐츠를 활용하여 더 많은 이야깃거리가 만들어졌다. 이처럼 낮은 진입장벽 탓에 타인의 모습을 여과 없이 바라볼 수밖에 없다. 실제의 모습을 확인할 수 없고 증명이 어려운 SNS의 특성은 타인의 모습과 본인의 모습을 비교하도록 만든다. 타인과의 비교를 통해 자신의 또 다른 모습을 생성해내는 것이고 '타인에게 비칠 나'의 새로운 이미지를 본인이 만들어내는 것이다. 좋은 척, 행복한 척하며 살기 위해 SNS에서 관찰한, 일종의 우상의 대상이 되어버린 그들과 마찬가지로 좋고 행복한 모습만을 보이게 되는 것이다. 결국 우리는 나를 속이고 타인을 속이는 행위를 SNS에서 만연하게 행하고 있는 셈이다.

허세를 벗어나 나답게 살기 위한 현명한 판단

SNS에 공유하는 모습은 본인이 되고 싶은, 누리고 싶은 문화생활의 지향점이라고 볼 수 있다. '허세증후군'에 대한 시각에서 벗어나 우리는 SNS라는 매체를 이용하여 '내가 타인에게 어떻게 보이고 싶은지'를 드러내게 되는 것이다. 허세의 정도가 심하든 약하든 우리는 우리의 가치를 SNS에 맡기는 셈이다. 언제부터인가 타인의 시선을 인식하게 되고, '내가 타인에게 어떻게 비치는가'를 중요하게 따져보며 진정한 나 자신의 모습을 잃어버리기 시작했다.

타인의 시선을 인식하지 않고 혼자만의 스타일로 자신만의 길을 걷는 사람이 얼마나 될까? 더불어 살아가는 사회에서 주변과의 의사소통은 분명 필요한 일이다. 업무적으로 SNS를 활용하여 동향을 파악해야 하는 직업을 가진 사람이나, 사회생활을 하기 위해 혹은 인맥이 일적으로 필요한 사람들은 SNS의 사용이 어쩌면 불가피할 수도 있겠다. 나 역시, SNS는 일상생활을 저해하는 행위이므로 당장 그만두라는 관점에서 시작한 이야기가 아니다. 현재 유독 많은 사람이 SNS, 그중에서도 인스타그램을 활용하고 있는 정도가 높고, 또 많은 시간을 할애한다는 점에서 알뜰히 활용한다면 본인의 생활에 도움을 줄 수 있다는 사실은 분명하다. 내가 강조하고 싶은 점은 현실과 구분해서 SNS를 사용해야 한다는 것이다.

모든 인스타그램의 활용 양상이 허세로 가득하다는 소리는 아니다. 본인이 그러한 방식으로 즐길 만한 소득과 그릇을 갖춘 사람도 분명히 존재한다. 본인의 수준에 맞는 소비를 향유할 만큼 수입이 있고, 여유가 있다면 해당 소비를 즐길 수 있다. 자신의 소득에 맞게 소비할 줄 아는 능력도 중요하다. 본인이 공유하는 모든 장면은 자신이 누리고 가질 수 있는 최대치이다. 어쩌면 이상향이라고도 볼 수 있겠다. 도달하고 싶은 장면을 공유하는 것과 다름이 없다.

SNS에 비추는 나의 모습이 진정한 나의 모습인가를 고민해보기 시작한다면 당장이라도 SNS를 그만두고 싶은 욕구가 생긴다. 실제로 20대인 내 주변에서도 인스타그램을 잘 사용하다가 앱을 삭제하거나 계정을 탈퇴해버린 사례를 어렵지 않게 관찰할 수 있었다. 인스타그램을 활용하여 스토리를 업로드하기도, 공유하기도 했던 모습들이 점점 뜸해지고 보이지 않기 시작했을 때쯤, 나는 깨달았다. 허세와 거짓으로 가득한 SNS 활용 속에서 지친 나머지 인스타그램을 지우고 잠적해버린 친구의 모습을 보며 'SNS가 확실히 우리의 삶에서 안 좋은 영향을 미치고 있구나'. 인간관계를 형성하는 데 있어서 감정적으로 지치는 상황이 분명히 존재한다는 사실을 깨달았다. 이 글을 쓰는 나조차 덧없는 SNS 사용환경 속, 지치거나 혹은 시간낭비를 하고 있다는 생각에 앱을 지우고 다시 깔고 하는 과정을 몇 번이나 거친지 모르겠다. 그만큼 SNS는 일상적인 존재가 되어버렸고 우리의 생활에 큰 영향력을 행사하는 매체로, 소비자인 우리가 그렇게 만들었다.

5. 앞으로 우리는

본질적으로 인스타그램의 활용 형태를 바꿀 수는 없다. 정보통신기술의 발달에 따라 우리는 비대면으로 컨택하는 빈도가 나날이 증가할 것이며, 이에 따라 타인의 생활 양상은 낮은 진입장벽을 통해 바라볼 수밖에 없을 것이다. 남들이 누리는 것은 나도 해보고 싶고 하나라도 더 먼저, 더 좋은 걸 차지하고 싶은 것은 인간의 어쩔 수 없는 심리이다. 이는 우리 세대뿐만 아니라, 후세대에게도 마찬가지일 것이다. 우리가 허구의 세계 속에서 현실적이고 현명하게 살아가기 위해서는 현실적으로 판단하는 사고 과정이 필요하다.

허세증후군이 불러 올 SNS의 형태

SNS 사용자들은 자신의 성공, 행복한 순간들만 공유하고 있다. 실패의 순간, 좌절한 순간이 있는 그대로 사실만 정확히 보이는 경우를 찾기 힘들 것이다. 설령 부정적인 모습을 관찰한 적 있더라도 그게 진정한 실패의 순간인지 확인할 필요가 있다. 근본적으로 사람은 자신의 초라한 순간과 못나 보이는 순간을 타인이 알아차리는 것을 극도로 두려워한다. 이렇듯이 보여주기식 공유는 일상적이지 않은 순간들에 초점을 맞추기 때문에 현실과 동떨어진 세계에 놓이는 경우가 많다. SNS에서 자신의 성공과 행복을 기록용으로 활용함을 벗어나 인증의 수단으로 탈바꿈하게 되었을 때 의도의 본질이 어긋나게 될 것이다. SNS로 인해 발생한 허세증후군은 타인을 넘어 나 자신을 속이는 행위이다. 내가 어떤 사람인지 제대로 파악하지 못하며 내가 현재 어떤 상태인지 인지하지 못하게 만들어 결국 망가뜨리게 되는 것이다.

인스타그램은 자신의 삶을 완벽한 순간으로 보이게 한다는 점에서 현혹된다. 이러한 SNS의 특징은 허세와 왜곡된 이미지를 조장하며, 다른 사람들에게 자신의 성공과 행복을 과시하기 위해 사용하는 수단으로 만든다. 여기서 주목할 만한 문제점이 제기된다. 인스타그램 속 허세가 타인의 틀에 맞추어 자신의 여건에 맞지 않고 타인의 인식을 위한 소비 행태나 삶의 방식으로 이어지게 한다는 점이 그것이다. 그 행위를 이어나가는 사용자 본인의 의식이 옳지 못한 방향으로 이끈다는 것이 한 가지 더 큰 문제점이 된다. 지속적인 SNS 생활이 과시와 허세로 가득 차 있지만, 잘못된 점을 깨닫지 못하고 똑같은 생활을 반복하게 된다는 것은 자신의 삶을 SNS에 가두는 것과 다름이 없다. 현실과 구분지어서 SNS를 활용해야 하는 이유가 여기에 있다. 현재, 인스타그램 속 생활과 현실은 조금 다른 형태를 띠고 있다. 이미 많은 사용자가 만들어서 굳어져 온 SNS의 스타일은 쉽게 바뀌지 않는다. 결국 사용자가 비판적인 판단 태도를 지녀야 할 수밖에 없다.

현명한 시각으로 세상을 살아가기 위해서

본 챕터에서 말하고자 했던 점은 허세증후군을 양산한 SNS의 본질이 잘못되었다고 하는 것이 아니다. SNS를 활용하면서 우리는 더 많은 추억을 공유하고 또 다른 추억을 만들어 낸다. 의미 있는 콘텐츠를 소비하고, 때로는 콘텐츠를 만들어 내며 자신만의 미래를 그려나가고 또 시대에 맞춰 성장해 나간다는 낭만 있는 행위임이 분명하다. 문제는 SNS의 만무하는 정보를 무분별적으로 수용하고 타인의 것을 모방하려는 태도이다. 그러므로 우리는 보이는 대로 믿지 않는 비판적 수용능력을 키워야 한다. SNS에서 드러나는 일부의 모습만 관찰하고 모든 것을 일반화하며 판단하는 것을 피해야 한다. 드러나 보이는 것은 누군가의 의지에 의해 만들어진 산물일 뿐이다. SNS를 사용하며 허세에 놓여있는 상태를 실제의 삶과 구분 짓고 현명한 태도로 문제의식에 접근해야 할 필요가 있다.

SNS를 불편하게 바라보는 관점을 길러보는 것은 어떨까. SNS를 통해 드러내는 자신의 성공을 자랑스러워하는 것이 아니라, 진심이 오갈 수 있는 소통과 공감의 창구로 활용하는 것이다. 단순히 공유와 커뮤니케이션의 수단으로 활용할 뿐 과몰입해서는 안 된다는 점을 강조하고 싶다. SNS는 현대 사회에서 더 이상 무시할 수 없는 커뮤니케이션의 수단이지만 SNS가 만들어낸 잘못된 인식이 사람들의 생활상을 변화시키고 있다. 밀도 있는 연계망을 제공해주는 연결의 장이 실질적으로는 사람과 사람 간의 간격을 더 넓히고 있는 것이다. 이러한 과정의 SNS는 사람을 공허하게 만든다. 나와 타인과의 괴리가 주는 심리적 작용의 영향이 크다. 그렇기 때문에 더욱이 SNS를 현실과는 거리감 있는 매체로 인식하고 그저 다른 세상을 바라보는 일종의 창구라고 생각해야 한다. 내가 SNS라는 안경을 통해 바라보는 타인은 내가 직접 겪어본 사람이 아니다. 그저 드라마나 영화를 보듯이 작위적으로 생성된 인물이다. 나는 타인에 대해 정확히 알지 못하기 때문이다.

당신은 나를 모르고 나는 당신을 모른다.

나의 삶은 나의 방식대로 흘러간다. 내 삶의 기준은 내가 정하는 것이다. 허세의 늪에서 벗어나지 못하는 것은 나의 한계를 타인에게 맡기는 것과 다름이 없다. 나는 어떤 사람이 되고 싶은가 고려해봐야 한다. 나의 수준과 기준을 타인에게 맡기지 말 것을 강조하고 싶다. 나의 한계는 타인이 아닌, 내가 정하는 것이다. 자신의 가치는 자신이 일구어 내야 한다.

우리가 허세의 유혹에서 빠지지 않기 위해서 해야하는 가장 중요한 것은 나 자신을 들여다 보는 것이다. 허세는 관심과 인정받는 것을 가치로 여기며 관심을 먹고 자란다. 주변에서 쉽게 행하지 못하는 것을, 내가 다른 사람보다 먼저 누리고 소유하는 것을 내보이고 싶은 마음이 허세의 시작이 된다. 이는 모두 나 자신이 어떠한 사람인가를 파악하지 못한 탓이 크다. 내가 진짜 어떤 사람인지 이해하기 시작하면 SNS에서 부리는 허세가 얼마나 무의미한지 깨달을 수 있을 것이다.

마무리하며

SNS 사용자 수가 꾸준히 증가하는 태세를 보았을 때, 한순간에 허세증후군에 빠진 그리고 허세증후군에 빠질 사람들을 구출해낼 수 있다고 확신하지는 못한다. 허세증후군은 본인이 '나는 누구이고 어떤 사람인가'에 대한 명확한 인식에 도달했을 때 비로소 벗어날 수 있을 것이다. 허세의 늪에서 벗어나 진정한 자기 행복을 위해 그리고 나 자신과 내가 사랑하는 사람을 위해 온전히 마음을 쓸 수 있을 때 의미 있는 삶을 획득하리라 믿는다.

6. 책의 다른 저자들에게 물었다.
- 인스타그램 속 허세증후군,
당신은 얼마나 체감하는가?

- **김동환**

"예전에 학교 축제에 싸이가 왔을 때, 무대를 온전히 즐기기보다는 폰을 들고 찍기 바빴던 모습을 본 적이 있다. 아니나 다를까 축제가 끝나자 다들 저마다 찍은 싸이의 무대 영상을 올리더라. SNS 속 허세가 부정적으로 느껴지는 이유는 본질보다는 자랑에 초점이 맞춰져 있기 때문이다. 요즘 SNS를 보면 자랑할 만한 일이 있을 때 자랑하는 것이 아닌 자랑하기 위해 자랑할 만한 일을 만드는 느낌이다."

- **정준영**

"나를 비롯해 친구들의 SNS를 보면 역시 자랑할 수 있는, 허세가 담겨 있는 사진이 대부분 업로드된다. 그러나, 그 게시물 속 나는 진정한 나 자신이 아닌 거짓되고 꾸며진 모습이다. 대부분의 사람들은 본인을 자랑하길 좋아한다. 적당한 자랑은 괜찮지만, 도를 넘어가게 되면 그것은 본인 스스로도 속이는 결과를 낳을 수도 있다."

- **강영흠**

"친구들의 인스타그램 피드나 스토리를 봤을 때, 단지 있어보이기 위한, 자랑하고 싶은 일들로만 업로드하는 것을 봤다. 나는 그러한 마음이 이해되기도 했고, 나조차 그런 사람이 아닌가? 라는 생각을 했던 것 같다. 어쩌면 일종의 '허세'는 자신을 표현하고 싶고, 다른 사람보다 우월하고 싶은 인간의 본성으로 자연스러운 현상인 것 같다. 하지만 '허세'가 일정 수준을 벗어난다면 오히려 자신을 하찮게 보이게 하거나 자신의 삶이 어려워질 수 있다는 것 또한 명심해야 할 것이다."

- **이가현**

"인스타그램 속 허세는 나날이 증가하는 듯하다. 허위의 세계에서 본인을 가꾸고 알지도 못하는 사람에게 찬양을 받는다. 솔직히 나조차도 허세를 일절 제외하고 업로드한다고는 말할 수 없다. 다만 실제로 내가 일궈낸 결과를 '자랑'하고 '인정'받기 위한 수단일 뿐이지, 과시하고 거짓된 삶을 꾸며내진 않는다. 누구나 SNS를 활용할 수 있지만 적당한 선을 지키며 사용해야 한다."

- **김시현**

"사실 인스타그램을 정말 좋아하는 사람으로서, 이 글을 읽고 내가 허세증후군이 아닌가 싶을 때가 있었다. 인스타그램 피드 업로드용 사진을 찍기 위해 유명 카페를 방문한다거나, 지금 내가 살아가고 있는 일상보다 훨씬 더 꾸며진 모습을 드러냈다. 이런 심리나 모습들과 함께 다른 친구들의 인스타그램 속 꾸며진 모습들은 '허세증후군' 이라는 단어를 더욱 가슴 깊게 새겨 여운을 남기게 한다."

5

세상을 연결할 MZ, MZ세대로서 말하다.

1. MZ세대가 뭐길래?

"MZ특", "MZ세대라서 그래"

'도대체 MZ가 뭐길래'라고 묻는다면, 사전적으로는 이렇게 정의할 수 있다. 1980년대 초부터 2000년대 초 출생한 밀레니얼 세대와 1990년대 중반부터 2000년대 초반 출생한 Z세대를 통칭하는 세대. 결국 1980년대 초부터 2000년대 초에 출생한 세대인데, 2023년 현재 20대에서 40대까지도 아우를 수 있는 것이다. 'MZ세대'에서 M은 Mobile, Myself, Movement의 첫 글자를 딴다. 직역하면, 모바일로 활동·해결하며 자신에게 관심을 두는 세대다. Z세대는 밀레니엄 세대의 바로 뒤를 잇는 집단으로, 안정감과 실용적인 면을 추구한다.

Mobile. 당신은 무얼 보고 있나요?

MZ세대는 스마트 기기의 활성화로 각종 SNS에 뛰어난 적응력을 보인다. 실제 종이로 이뤄진 1차원적 자료보다는 기계로 이뤄진 스마트폰, 스마트TV 등이 더욱 익숙할지 모른다. 전 세계적으로 스마트폰이 보급되면서 시간과 공간의 제약 없이 모든 연결이 가능해진 것이다. 대부분 유튜브나 인스타그램으로 국경을 넘어 본인의 일상을 공유하고 다양한 콘텐츠를 접한다. OTT의 등장도 MZ세대를 모바일에 가두게 되는 큰 이유가 됐다. 굳이 집에서 나가지 않고도 동영상 서비스를 이용할 수 있다는 점에서 OTT 애플리케이션으로 '입장'하곤 한다. 지하철을 타도 종이책, 종이 서류를 보는 사람들보다는 스마트폰으로 시간을 보내고 있는 사람들이 대부분이다. 오프라인보다 온라인 만남이 익숙해지며 스마트폰 하루 이용 시간이 5시간을 훌쩍 넘는 날도 많을 것이다. 사람과 대면하기보다 작은 화면 속 글자와 사진이 더 편하게 느껴지고 그것을 본인의 영혼처럼 여긴다. SNS로 사람들의 일상을 보기도, 연락을 하기도, OTT 서비스로 영상을 보며 재미를 추구하기도 한다. 전 세계의 소식을 들을 수도 있으며, 보고 싶은 영상을 언제든 손안에서 볼 수 있으니. 모든 것이 모바일로 가능한 세상에서의 SNS 세계는 어떨까.

'신속'을 강점으로 꼽는 SNS지만 이로써 정확한 정보가 뜨기 전, 일명 찌라시에 많이들 흔들린다. 거짓이든 사실이든 소문을 멋대로 퍼뜨리며 또래와 이야기하는 것을 더 중요하게 생각하곤 하니까 말이다. 2022년 10월, 한국의 이태원에서 처참한 사고가 벌어졌다. 핼러윈 데이를 이유로 이태원을 찾은 각국의 인구가 좁은 골목에 밀집돼 대규모 인명피해가 발생했다. 몇 년 간 계속된 코로나19가 잦아들고 사회적 거리두기 없이 모인 첫 핼러윈에, 들뜬 마음으로 나선 이들 중 일부는 결국 집으로 돌아가지 못했다. 청년들의 피해가 대부분이었고, 그에 관한 소식은 빠르게 퍼졌다. 포털에는 기사가 수도 없이 쏟아졌으며 SNS에서는 MZ세대를 중심으로 참사 현장 영상이 쉴 새 없이 퍼져나갔다. 그저 안타까운 광경을 다뤄야만 했던 10.29 참사 보도는 혼잡 그 자체였다.

이러한 '혼잡' 속에는 분명 실수가 존재하기 마련이다. 일분일초가 급한 상황, 정확한 정보가 필요했던 가족들은 현장으로 가 보는 수밖에 없었다. 믿고 싶지 않은 정보만이 가득했으니. 단편적인 현장의 모습을 보여준 뉴스와 SNS의 무작정 보도는 취재 경쟁 속에서 사태만 더 키워갔다. 몇 명의 경찰이 투입됐고, 기동대를 왜 배치하지 않았으며, 통제를 어떻게 했는지…. SNS를 중심으로 퍼진 가설은 온통 거짓으로 드러났음에도 진실로 잘못 알려져 입방아에 오르내렸다. 안타까운 마음을 뒤로한 채 '좋아요'가 더 중요한 이들에게는, 진실이 무엇인지 결코 중요치 않았다. SNS 이용자는 현장 영상을 모자이크 없이 볼 수 있다는 이유로, 똑같은 내용을 보도하는 뉴스보다 SNS 세계로 들어가기만을 반복했다. MZ세대에게는 주로 또래의 이야기고, 우리는 참사와 더 가까이 있다고 생각했다. 그래서 나누고 또 나눴다. SNS로 안부를 묻고, 누군가의 안부를 듣는다. 실제 TV로 방송되는 뉴스보다는 SNS가 더 빠르고 가감 없으니. 진실 공방 없이 화제성을 중심으로 하는 SNS에서의 그림자가 드리운 순간이었다. MZ세대에게 팩트체크보다는 인기를 끄는 것이 더욱 가치 있어 보였기 때문일까.

Myself. 당신은 개인일 뿐인가요?

MZ세대의 가장 큰 특징 중 하나는 단체가 아닌 개인을 중시한다는 것이다. 오프라인 만남보다는 온라인 만남을 즐겨하고 이로써 오프라인에서의 친목 도모는 더 이상 최대한의 관심사가 아니다. 온라인 속 본인만의 세계가 점차 확장돼 현실에서도 개인주의화됐다고 봐야 할까. 그렇다고 해서 집단주의 문화 자체가 아예 없어졌다는 것은 아니다. 그러나 집단 간 모여 정착될 수 있었던 내가, 이제는 집단 안에서 개인으로서 나뉜다. 그들은 굳이 본인의 세계를 타인과 나누려 하지 않고 타인의 세계에 들어가는 것을 꺼린다. 어떤 이는 MZ세대가 부모의 든든한 지원 아래서 살아온 삶을 기반으로, 적게 고생하며 살아왔다고 평가한다. 때문에 MZ세대를 개인주의로 본다. 자신을 가장 중요하게 생각하고, '본인이 아닌 것과의 적극적인 분리'는 필수적이다. 예를 들면 나의 성공이 중요하지, 기업의 성공은 관여할 바가 아니라는 것이다. 보통 소속감보다는 본인의 성장을 우선시하곤 한다. MZ세대에 관심 있는 사람이라면 '퇴사러시'라고 들어봤을 것이다. 취업전선에 뛰어든 사회초년생이 주도적인 삶을 추구하기 위해 줄줄이 퇴사한다는 것. 2023년 8월 기준, 보건복지부 산하 28개 공공기관의 20·30대 퇴사자가 정년 퇴사자보다 많은 것으로 분석됐다. 전체 퇴사자 중 45%에 달하는 수치였다. 본인이 하고 싶은 일과 주어진 일이 달라서, 남들이 우러러보는 직업이나 회사임에도 박차고 나오곤 한다. 이유는 단지 '본인' 때문이다. 이들은 남들에게 보이는 성공보다 본인의 안위와 자유가 중요하다.

개인주의로 비춰진다고 해서 MZ세대 자체의 소속감이 결여된 것은 아니다. 오히려 본인을 키워 경쟁력을 갖춤으로써 비로소 집단에 소속되길 바란다. 그러나 그 집단에서의 개인을 지키고자 하는 데 의미가 숨어있다. 본인을 회사의 구성원으로 정립하지 않고 다른 분류로 규정하긴 하지만 그들은 다양한 조직에서 몸담기를 바란다. 그렇게 본인의 다양한 소속감을 만들어 가고 결국 여러 SNS 집단, 모임 등이 늘어나는 결과를 초래했다.

본인의 의견을 피력할 때는 "MZ세대로서"라는 말로 합리성을 부여한다. 개인의 개성을 좇고 이를 인정받아야 마땅하다고 생각하며 권리를 요구하는 방식일 수 있다. 이러한 MZ세대의 합리성은 '이기적이고 무책임하다'라는 인식을 심어주기도 한다. MZ세대가 세대 특징 자체를 무기로 삼고 있기 때문일까.

Movement. 당신은 본인을 알고 있나요?

MZ세대는 본인의 신념을 표출하고자 한다. 자유로움이 기반되는 MZ세대는 의견을 말하고 관심이 있을 시 적극적으로 참여한다. 소비에 있어서는 어떨까. 플렉스, 명품소비도 있지만 요즘은 오히려 가성비, 가심비(가격대비 마음의 만족도)를 따진다. 낭비하지 않기 위해 체리슈머(소비에 있어 극한의 효율성을 추구하기 위해 계획적인 소비를 추구하는 사람)가 되기도, 본인의 행복을 위한 소비를 하기도 한다.

더불어 소유보다는 공유에 관심을 둔다. 미닝아웃이라는 말을 들어봤을 것이다. 신념을 의미하는 '미닝(meaning)'과 커밍아웃의 '아웃(out)'을 합성한 신조어로, 소비행위를 통해 본인의 가치관·성향·취향을 드러낸다. MZ세대의 소비 형태를 설명하기에 제격이다. SNS 사용이 늘어나고 모든 것이 공유되는 일상에서 SNS는 MZ세대의 특성이자 무기가 됐다. SNS를 이용해 본인의 신념을 드러내고 가치를 공유한다. 해시태그를 달아 본인의 콘텐츠가 더욱 널리 퍼지게끔 형성하거나 적극적인 관심사를 이끌어 낸다.

대표적으로 불매운동, 돈쭐, 가치소비 등이 있다. 2020년, MZ세대의 스타벅스 보이콧이 열풍이었다. 글로벌 커피 브랜드인 스타벅스 직원이 인종차별을 막기 위해 '흑인의 목숨도 소중하다'라는 문구가 삽입된 티셔츠를 입으려 하자 규정에 어긋난다며 이를 금지했다. 인종, 환경 등에 본인의 신념이 가득 분출되는 MZ세대는 이를 놓칠 리 없다. MZ세대는 스타벅스 보이콧을 외치며 서로 뭉쳐 신념을 단단히 알렸다. MZ는 참지 않는다. 실제로 2019년 일본 제품 불매운동 때 Z세대의 참여율은 76%에 달했다. 결국 일본 제품은 점점 숨기 시작했고, 이 때문에 폐업한 가게도 적지 않다. 이처럼 기업은 미닝아웃을 보이는 MZ의 소비와 그들의 공유의 힘을 인정하고, 이에 긴장한다.

나쁜 기업에게는 가차 없어 보일 수 있지만 선한 기업에도 반응한다. 선행을 보인 기업에는 돈으로 혼쭐내는 '돈쭐'을 감행한다. 친절한 음식점이 있다면 그곳의 매출을 올려주겠다는 신념이자 선행에 보답하겠다는 취지에서다. MZ세대 380명을 대상으로 대한상공회의소에서 2022년 4월 진행한 설문조사에 따르면, ESG(Environmental, Social and Corporate Governance의 약자로, 기업의 사회적 책임을 의미함)를 구매 결정의 핵심 요소로 꼽았으며 64.5%는 "ESG를 실천하는 기업의 제품이 더 비싸더라도 구매하겠다"라고 답했다. 일자리 창출, 친절, 기부, 친환경 등 선한 기업의 조건은 다양하지만 까다롭다. 소비자가 생각했을 때 타당한 가치를 지니고 있고 긍정적인 의미를 불러일으켜야만 '착한 소비'가 가능하다. 2020년, 치킨 프랜차이즈 '철인 7호' 홍대점을 기억하는가. 철인 7호 홍대점 점주는 어려운 형편의 형제에게 치킨을 내어줬고, 형제는 1년 후 본사로 감사 편지를 보냈다. 점주의 선행에 감동한 소비자들은 홍대점에 돈쭐을 서슴지 않았다. 결제만 하고 제품은 받지 않는 소비자도 있었고, 선물을 보내는 소비자도 많았다. 또, 이러한 돈쭐은 SNS를 타고 퍼지고 또 퍼졌다. 돈쭐 행위는 본인의 뚜렷한 가치관을 실제 행동으로 옮겨 소신을 증명하기에 제격이다.

이처럼 소비 형태에 있어서 신념이 많이 드러나는 만큼 가치소비도 두드러진다. 가성비는 물론 가심비까지, MZ세대 본인이 생각하는 기준에 합치되는 것만을 합리적으로 소비한다. 가격 대비 만족도를 생각하며 실제 만족도(가성비), 심리적 만족도(가심비)를 따진다. 이때 본인의 취향, 주관이 뚜렷이 드러나곤 한다. 15,000원짜리 프랜차이즈 큰 케이크 하나와 30,000원짜리 레터링 도시락 케이크가 있다고 가정하자. 기성세대라면 레터링의 가격과 크기 때문에 프랜차이즈 큰 케이크에 먼저 손을 뻗을 수도 있다. 그러나 MZ세대라면 무엇이 더 만족스러운지 본인의 '심리적' 만족도를 계산할 것이다. 가격과 성능만 살펴보는 가성비와는 조금 다른 개념이란 것이다.

즉, MZ세대는 소비의 모든 측면에서 본인의 가치를 생각하고 신념을 드러낼 만한 구매를 한 후 그것을 공유한다. 이것마저 본인을 소비로 하여금 규정하고 싶기 때문일까.

MZ세대가 등장하며 불필요한 '세대 갈라치기'가 등장했다는 시각도 많다. 세대가 달라질 때마다 지금 세대는 다음 세대를 받아들이기 어려울 수 있다. 본래 기대를 걸고, 부러움을 사는 대상이 됐던 새로운 세대는 MZ세대로의 세대 변화가 일자 인식이 달라졌다. 1960년대와 1970년대에 태어난 X세대의 경우, 이렇게까지 세대화되지도 않았다. 특정 세대에 맞춰 세상이 변화하는 세대화, 왜 MZ세대에서만 이렇게까지 두드러지는 것일까. 언론에서도, 마케팅에서도, 심지어 경제활동 전반에 걸쳐 MZ는 가장 큰 영향을 미치는 세대가 됐다.

2. MZ세대가 보는 MZ세대

누가 뭐래도 02년생인 나는 MZ세대다. 우리 또래가 보는 MZ세대는 어떨까.

어떤 매체든 MZ세대를 공략한다. 혹은 저격한다. MZ세대는 앞으로의 경제 주역으로서 주목받기 때문이다. 저성장 시대에서 든든한 부모의 지원으로 살아왔지만 그 속에서 각각의 가치관은 다른 법이다. 언론이나 마케팅에서 다루는 MZ세대는 개인주의, 경험주의, 효율성, 온라인 공유 등의 특징을 지닌다.

MZ세대로서 나는, '함께' 나아가고 싶은 '개인'

"오늘은 쉬고 싶습니다!"

첫 장에서 MZ세대는 개인주의로 여겨진다고 언급했다. 본인을 우선시하고 본인의 자유와 행복을 먼저 추구한다. 원하는 바를 얻기 위해 눈치 보지 않고 의견을 피력한다. MZ세대니까. 분명 좋은 점도, 나쁜 점도 있을 것이다.

사회생활의 면모가 깃든 학교에서도 세대 간 갈등이 드러난다. 중·고등학생이 교사에게 막말하는 영상을 본 적 있을 것이다. 교권이 추락하고 MZ세대를 주장하는 학생이나 부모는 말 그대로 막 나간다. MZ세대가 주목받는 점은 타당하게 본인의 의견을 피력하는 것이지, 비아냥대는 것이 먼저일 수 없다. 아무리 내가 MZ세대라고 한들, 버릇없는 개인주의가 'MZ세대'라는 이유만으로 정당화될 수는 없다고 생각한다. 물론 본인의 행복을 위해, 원하고자 하는 바를 말하는 행위 자체에 눈살이 찌푸려지는 것은 아니다. 다만 타인에게 피해를 주는 것은 '예의'에 벗어난 일이다.

"조직의 성장이 먼저인가, 개인의 성장이 먼저인가". 요즘 피해갈 수 없는 인사팀의 면접 질문이다. 본인이 소속한 조직이 먼저인지, 조직에 소속된 본인이 먼저인지를 묻는 바일 것이다. 즉, 기업을 최우선으로 생각하고 헌신할 수 있는지. "조직의 성장이 먼저입니다". 진심에서 우러나온 대답이 맞을까. 물론 누구에게 묻든지, 거짓이라고 답할 수도 있다. 그러나 최근 사회를 읽어보면 특히 MZ세대는 본인을 조직에 종속되는 관계로 인식하지 않는다. 회사는 회사, 나는 나. 회사 내에서 친목을 다질 수는 있지만 그마저도 어렵다고 생각한다. 퇴근하는 순간, 집에 가면 그만이니까. 회사에 결속되고 싶지 않을 테니 말이다.

취직 이후에도 MZ세대의 질주는 계속된다. 점차 회식 문화가 줄어들고 있다. 싫어도 무조건 참여해야 했던 기성세대의 회사 분위기와는 사뭇 달라진 느낌이다. "오늘은 피곤해서

회식에 참여하기 어려울 것 같습니다". 본인이 원치 않는 자리에 참여하고 싶지 않아 어떨 때는 거짓말을, 어떨 때는 그저 감정에서 비롯된 의견을 말하기도 한다. 당당하게 말할 이유가 있다고 생각하면서. 본인의 자유와는 맞지 않은 것 같아서 눈치 보지 않고 원하는 바를 던진다.

이렇게라도 MZ세대가 회사에 소속되어 있다면 다행일지 모른다. 1장에서 언급한 '퇴사러시'. 취직은 해야 하니 회사에 들어갔지만 몇 달 일하다 보니 본인의 자유를 보장받지 못하는 느낌이 드는 MZ세대가 줄줄이 조기 퇴사하는 행태다. 직장인 커뮤니티에는 업무를 하며 과도한 스트레스를 받거나 보수가 낮다는 이유로 불평하는 글이 연일 올라온다. 연차는 낮지만 본인의 행복을 챙기지 못한다면, 굳이 지금 회사에 있을 필요 없다며 사표를 던진다. 작은 기업이거나 신생 기업일수록 이러한 퇴사러시는 막대한 손해로 이어질 수밖에 없다. 기성세대는 MZ세대의 줄퇴사를 이해하기보다는 꾸준함 부족으로 여기곤 한다. 나 역시 본인에게 있어 특정 가치나 자율성이 얼마나 중요한지 인지하고 있지만, 사회생활은 다르다. 모든 말과 행동은 단체생활의 일부다. 모든 것을 개인으로 분류한다면 세상의 '연결'이 없어진다. 연결된 삶 속에서 본인이 얻고자 하는 것을 좇는 것은 본능이지만 '함께'의 의미를 살려, 나아가보는 것은 어떨까.

MZ세대로서 나는, '경험'을 중시합니다.

"이것저것 해 보고 싶어요"

젊음의 거리 홍대, 성수…. 지역 특색을 딴 이름이 붙은 거리를 걸어보면 빠지지 않고 눈에 보이는 것이 하나씩 있다. 바로, 팝업스토어. 팝업스토어란 잠깐 있다가 없어지는 작은 매장으로 인지도, 홍보 등을 위해 체험 및 판매하는 공간이다. 최근 마케팅 기업은 특히 10대와 20대를 겨냥해 팝업스토어를 여럿 기획하고 있다. 팝업스토어가 갑자기 왜 이렇게 늘어나게 되었을까? 바로 MZ세대의 움직임 때문이다. MZ세대는 신중한 경험주의자 면모를 보인다. SNS에서 본 '핫플'을 실제로 느껴보고 싶은 마음에 집 밖을 나서서 직접 찾아가곤 한다. 보는 것보다 손으로 만지고 느끼며 오감으로 익히는 경험은 돈으로 살 수 없는 매우 중요한 산물이 된다.

SNS에서 다양한 여행 기록지, 브이로그 등을 쉽게 확인할 수 있다. MZ세대는 관심 있는 영상을 계속 보다가 꽂히는 무언가를 직접 시도하고 싶어 한다. 예를 들어, 제주도 한 달 살기. 주변 몇몇 사람 중 직접 실행에 옮기는 장면을 본 적도 있을 것이다. 힐링을 느끼기 위해, 좋은 경험을 하기 위해. 어떤 이유에서든 본인에게 도움이 되길 바라며 제주도로 떠난다. 게스트 하우스에서 아르바이트를 하며 숙박을 해결하고, 제주도 경관을 보며 복잡했던 마음을 힐링한다. 이로써 본인의 경험을 하나둘 늘려가고 타인에게 추천한다. MZ세대는 이렇게 경험으로 얻은 무언가를 SNS로, 혹은 직접 추천하

고 공유하길 원한다. -어쩌면 공유만을 위해 떠난 모험이었을지도 모른지만-

나아가 경험이 없으면 두려움을 느낀다. 이력서에 쓸 만한 경력이나 해외 활동이 없어서, 남들에게 자랑할 만한 경험이 없어서? 무엇이 우리를 떨게 만들었는가. 놀기도 잘 놀고, 일도 잘하는 인간상을 원하는 취업 분위기가 아닐까 싶다. 내가 어릴 때만 해도 스마트폰이나 시계 없이, 놀이터에서 흙을 가지고 놀며 시간을 보냈다. 친구들과 떠들고 놀다 보면 어느새 드리운 그림자는 어둠으로 바뀐다. 단지 아무것도 모르고 놀 때를 추억하면 이러한 장면이 떠다닐 것이다. 다만 산출물이 없는 추억은, 한 편의 그림처럼 남을 뿐이다.

취업을 준비하는 MZ세대에게는 '이만큼을 배웠고, 이만큼을 이뤄냈다'를 보여줄 만한 경력이 필요하다. 학업, 취업에 국한된 경험이 아니더라도 본인의 성취를 녹일 만한 경력이 필요한 것일지 모른다. 우리는 이러한 경력이 필요하고 이를 위해서는 경험이 필요하다. 사회는 경력을 빙자한 경험을 추구하니까. 경험주의? 좋다. 다만 모든 경험의 최종 목표가 경력이 되지 않길 바라는 마음이다. 성취와 관련 없이 한번 해보는 경험이라면, 본인을 위해 더 즐기고 더 누릴 필요가 있다.

MZ세대로서 나는, '효율'을 중시하며 '행복'을 좇습니다.

"효율적으로 살려고요"

가성비. 가격 대비 성능을 생각하는 경제 용어다. 한 제품을 샀을 때 얼마나 적은 금액으로 큰 효율을 얻을 수 있는지를 따진다. 소비에 있어서 MZ세대가 처음 주목받은 이유는 'FLEX'와 명품소비 때문이었다. 그러나 물가가 오르면서 명품을 찾는 소비자보다는 적은 금액으로 최대한 도움 될 만한 것을 많이 사는 것이 당연시됐다. 웬만하면 할인 가능한 쿠폰을 찾아보고, 대학생 할인 혹은 첫 방문 할인도 놓치지 않는다. 한창 MZ세대 사이에서 '무지출 챌린지', '거지방', 중고거래 등이 유행했다. 모두 지출을 아끼고 오히려 돈을 버는 방식을 채택한 것이다. 무지출 챌린지란 극단적으로 지출을 줄여 0원으로 살아가는 도전이다. 도시락으로 끼니를 해결하고, 대중교통보다는 도보를 추구한다. 지출이 있을 만한 약속은 잡지 않고 쓸데없는 소비는 일절 하지 않는다. 그렇게 0원으로 살아간다. 돈을 쓰지 않고도 며칠을 살아가며 아낀 돈으로 본인에게 도움 될 무언가를 구매하거나, 행복을 누린다. 이렇게 돈을 아끼고자 서로가 서로에게 쓴소리를 마다하지 않는 거지방도 유행이다. 본인의 하루 지출을 오픈채팅방에서 공유하고 만약 조금이라도 사치라고 생각하면 타인이 지적하기도 한다. 솔직한 지출을 공유하고 따끔한 충고를 건네며 본인의 지출도 아낄 수 있다는 점에서 한창 인기를 끌었다. 이미 갖고 있는 명품을 비롯한 고가 상품은 오히려 되팔곤 한다. 선풍적인 인기를 끌던 명품 시장에 특이점이 찾아온 것이다. 이렇게 MZ세대는 본인의 소비 패턴을 알고 불필요한 지출을 하지 않기 위해 노력한다. MZ세대가 평소 다른 세대에게 비춰지는 말이나 생활 양상에 비해 오히려 알뜰한 소비 습관을 자랑한다.

가성비를 넘어 '시성비'라는 말이 등장했다. 바쁜 시간을 분초 단위로 쪼개 사는 지금, 시간을 효율적으로 쓰겠다는 것이다. 무얼 해도 하루는 짧고 한 달은 금방 간다. 전 세대가 그렇지 모르지만 MZ세대의 시간은 더욱 빠르고, 각자 나름의 이유로 바쁘게 흘러간다. 동시에 다른 일을 하려는 멀티태스킹 경향성도, 이로 인해 퍼졌다. 짧은 하루에 최대한 많은 일을 하며 한 번에 여러 일을 끝내는 현상이다. 나조차도 강의, 근로, 과제, 학원, 운동…. 아침에 집을 나서 하루 일과를 모두 끝내면 어느덧 낮을 밝히던 해는 자취를 감추고 머리 꼭대기 위로는 달이 얼굴을 비춘다. 바쁘지만 성취감을 이룰 수 있는 삶을 살아가는 MZ세대는 어디서든 그리고 언제든 효율이 우선이 됐다.

저성장 시대에서 자라 와 오히려 꽤 많은 소비를 할 것으로 기대됐던 MZ세대, 우리는 왜 효율을 추구하는 세대가 되었을까. 효율을 좇지 않으면 돈이나 시간을 낭비하게 된다는 생각 때문일까. 주어진 산물을 펑펑 써 버리기에는 미래가 중요하고, 이렇게 지나버리면 모든 소비가 아까워진다는 것. 실상 우리는 돈에 지레 겁을 먹고 시간에 쫓기곤 한다. 돈과 시간을 아끼지 않으면 남들에 비해 도태되는 것 같으니, 삶을 즐기지 못한다는 결론에 도달한다. 즐기지 못하는 삶은 결국 번아웃(burnout)으로 이어져 당시의 행복만을 좇게 된다. 본인의 할당된 자원 속에서 이루고자 하는 바를 얻기 위해 노력하는 것은 좋으나 본인의 건강(이때 '건강'은 체력적 건강과 정신적 건강 모두를 일컫는다)을 범해선 안 될 것이다. 삶 자체를 즐기고 비교하지 않으려는 자세가 필요하다.

MZ세대로서, 나에게는 '온라인' 세상도 있습니다.

"SNS에서 봤는데요"

MZ세대가 SNS를 많이 사용한다는 것은 다들 알고 있을 것이다. 우리는 각종 SNS에서 시간을 보내고 이를 공유한다. 아침에 눈을 뜨면 가장 먼저 찾는 물건이 무엇인가. 바로 스마트폰일 것이다. 스마트폰에서 가장 먼저 손가락이 가는 아이콘은, 분명 SNS이지 않을까. 잠든 사이 어떠한 재미있는 일이 일어났을지, 사고가 일어나진 않았는지, 나를 찾진 않았는지. 정말 '누구는 어떤 삶을 살았을까' 하며 지인의 소식을 들여다보는가. 그저 사람들이 공유하는 이야깃거리 사이에 끼고 싶은 심리는 아닐지 생각해 보자. 나만 모르기 싫어서, 그냥 본능적으로 SNS를 찾는다. 대부분 스마트폰 사용 이력의 절반 이상이 SNS인 와중, 진짜 '나'를 찾는 사람은 적어졌다. 콘텐츠가 무한으로 생성되는 세상 속에서 SNS 없이는 살아갈 수 없는 사람이 되어버렸을지도 모른다. 서로의 소식을 공유하고 짧은 콘텐츠를 나누며 가짜 유대감을 쌓아간다. '각자'로 규정지으면서도 비슷한 사람에게는 쉽게 친근감을 건네고, 온라인으로만 소통하는 탓에 오프라인의 진정한 관계로 나아가지는 못한다. 누군가는 온라인 관계의 진정성에 대해 소리친다. 다만, 그들과 오프라인에서도 당장 웃고 떠들 수 있을 정도로 깊은 관계인가. 아니라면 그 이유를 본인이 규정하고 있는 온라인 세상에서 찾아야 한다.

'스마트폰 없이 하루를 살아갈 수 있습니까' 묻는 질문에 자신 있게 "네"라고 외칠 수 없다면, 본인이 온라인 자아와 오프라인 자아 중 어디에 속해있는지 생각해 보아야 할 것이다. 손가락 하나만 까딱하면 해결될 일을 '굳이' 직접 나서서 손으로 해 보고, 손가락으로 자판을 누르며 하는 비대면 대화 대신 '굳이' 입을 움직여 대화해 본다면, 분명한 차이를 느낄 수 있다. 익명의 힘을 빌려 화면 뒤에서 움직이는 온라인 자아는 책임감이 결여됐다. 어쩌면 화면 뒤에 숨은 것일지 모른다. 각종 포비아(phobia)가 생겨난 지금, 이는 모든 것을 온라인으로 하는 것이 익숙해져 극복의 기회가 현저히 줄어든 결과다.

한순간 온라인 세상이 멈춰버린 상상을 해 본 적 있는가. SNS를 활용한 온라인 대화는 끊기고 서로의 소식은 직접 찾아 나서지 않는다면 알 수 없다. 클릭 한 번이면 가능했던 쇼핑도 직접 대중교통을 타고 나가야만 가능하다. 결제는 또 어떤가. 스마트폰 속에 숨겨둔 카드를 사용할 수 없어 실물이 필요할 것이다. 온라인으로 발급되는 모든 쿠폰과 정보도 이용할 수 없다. 무엇보다, 블루라이트를 내뿜는 작은 화면에서 얻을 수 있었던 '공유'가 끊겨 답답할 것이다. 누가 어떻게 사는지, 어떤 일이 있는지, 나에게 무슨 말을 하고 싶은지…. 아무것도 알 수 없다. 모든 세상의 사각형 화면 불빛이 꺼지고 잔잔한 원형 불빛만이 남아있을 것이다. 잠깐의 시간을 보내는 것은 사각형 속 불빛이 아니라 우리의 두 손과 입일 것이고 눈과 귀는 끊임없이 활동할 것이다. 이러한 세상은 끔찍한 세상일까, 당연한 세상일까. 솔직히 말하자면 나조차도 "당연하다"고 답하지 못한다. 온라인이 당연한 세상에서 살아왔으니. 다만, 온라인 세상에 나를 가두고 싶진 않다. -편히 누릴 거 누리면서 이렇게 말하는 것이 우습게 보일 수 있지만- 오프라인의 나를 모르는 비공식적 타인과의 가짜 유대감을 쌓고 싶지 않다는 것이다. 공유 행위 자체는 좋지만, 공유를 위해 무언가를 하지는 말자는 뜻이다. 지금은 온라인 자아를 만들 것이 아니라 오프라인에서의 '나', 그리고 진짜 관계를 찾아 나설 때다.

3. MZ세대인 나는 [ ]

사실 MZ세대로 묶이는 것이 조금은 싫었다. 또래 사람들의 행동이 눈살 찌푸려질 만함에도 MZ라는 이유로 합리화됐으니까. 그들이 "MZ로서", "난 MZ니까"라고 말할 수 있는 이유는 알려진 세대의 특성이 그들의 방패라고 생각했기 때문일 테니. -모든 MZ세대가 그렇다는 것은 절대 아니지만- 어떤 상황이든, 어디에 소속됐든 그것은 그것일 뿐 본인은 본인 자체라고 생각한다. 가끔은 무례한 행동도 서슴지 않을 때가 있다. 예의에 벗어난 행동과 말을 그저 그들의 당연함으로 치부한다.

그런데, 지금의 내가 MZ세대 그 자체로 행동하고 있는 것이 아닌가. 누군가와 어울리기보다 혼자 성장하는 시간이 좋기도 하고, '바쁜 아이' 이미지를 갖는 것도 나쁘지 않다. 효율을 위해 모든 것을 계획하고 SNS를 많이 이용하기도 한다. 취업전선에 뛰어들면 입에 바른말만 하는 신입사원이 될지, 능력을 뽐내며 인정받는 신입사원이 될지는 아무도 모른다. 가치와 잘 맞아 한 직장에서 평생 다닐 수도 있지만, 행복하지 않아서 등 갖가지 이유를 대며 빠른 시일 내에 사직서를 던질 수도 있다. 다만 '나는 MZ니까 이런 말 정도는, 이런 행동 정도는' 하며 합리화하고 싶지는 않다.

MZ세대인 나는 ***['MZ세대'라는 말로 칠해지고 싶지 않다]***

원하는 바를 이루고자 이해하지 못할 행동을 한다면, 본인을 가꾸는 것이 아닌 'MZ세대'를 내세워 본인을, 그리고 MZ세대 전체를 망칠 수 있다. 본인에게 맞는 색이 있고 향이 있다. 스스로가 MZ세대이기 전에 '나'라는 것을 명심하자. 세대를 나누고 함께 살아갈 것은 이전 세대보다 이후 세대일 수 있지만, 지금의 성장을 돕는 것은 분명 이전 세대임을 알아야 한다. 본인에게 도움을 주는 일차적인 세대는 이전 세대라는 것이다. MZ세대가 기성세대를 이해하지 못하고 기성세대가 MZ세대를 이해하지 못한다면 어떻게 세대 간 통합을 이룰 수 있겠는가. MZ세대 자체의 색을 배제하라는 것이 아니라 세대로 묶이기 전, MZ세대의 특성을 알고 그를 악용하기 전, 본인을 파악하라는 말이다.

누구에게나 피하고 싶은 상황이 있고 벗어나고 싶은 시간이 있을 수 있다. 그러나 피할 수 없는 상황, 벗어날 수 없는 이유가 분명히 존재하고 이는 단체 속에서도 동일한 값일 것이다. 누구 한 명이 나서주길 바라곤 하지만 늘 나설 수 있는 사람이 있는 것은 아니다. 이때 떠오르는 것이 MZ세대다. 단체 모두를 위해? 아니다. 우선적으로 본인을 위해서다. -누군가를 책임져야 하는 위치가 아니라면 더더욱- 누군가를 위해 피해 입으면서까지 희생할 수 있는 사람은 많지 않을 것이다. 오히려 MZ세대로서 손을 들 때, 본인만을 위한 것은 아닌지에 대한 통찰이 필요하다. 본인으로 인해 타인에게 피해가 간다면, 이는 MZ세대 특성을 악용한 이기심일 테니. 결국 예의와 배려가 필요하다고, 조심스레 외쳐본다.

갈등을 빚곤 하는 몇몇 기성세대가 "너 MZ세대라서 이렇게 생각하지?", "하여튼 요즘 세대란" 하며 사람 자체를 알기도 전에 판단하고 혀를 차는 행위, 참 무례하다. 성격 그리고 가치관을 비롯한 모든 행동과 말의 의도를 모른 채 MZ세대라는 이유만으로 이들도 우리를 '불'합리화한다. 각자가 어떻든 MZ세대로 평가되는 것이다. 어떻다고 평가를 내리고 일반화하는 듯한 태도는 거부감을 느끼게 한다. MZ세대가 갖춰야 할 배려와 예의를 먼저 언급했지만, 기성세대가 MZ세대 성향 자체에 편견을 가진다면 MZ세대의 일부는 이러한 일반화된 평가에 혀를 내두르며 오히려 반감을 가질지 모른다.

그렇다면 '나'는 어떻게 보이고 싶은가. 말 그대로 하나의 인격체로 보이고 싶다. 세대의 특성이 있는 것은 맞다. 인정한다. 다만 세대로 묶이기 전 개인 자체의 인격이 있고 나만의 특징이 있다. 'MZ세대라서~'가 아닌 '나라서~'가 맞다는 말이다. 그런데, 한 번씩 생각해 볼 필요가 있다. "MZ세대인데도 그 세대 같지 않네." 부정적으로 들리는가. 오히려 긍정적인 반응으로 들린다는 입장이다. 그렇다면, MZ세대의 특성 자체가 부정적으로 비춰지고 있는 것이며 특히 기성세대는 이러한 MZ세대를 온전히 받아들이기 힘들다는 것이 아닐까. '요즘 세대'라는 말처럼 세대가 특성화되어 있으니 개인을 분석하기 어렵고 점점 본인을 드러내기 어려워진다. 이제, 색안경을 쓸 때가 아니라 투명하게 세상을 바라볼 때다.

앞으로의 세상을 이끌 MZ세대의 행보를 모두가 지켜보고 있다. 좋은 능력으로 원하는 것을 이룩하는 것이 왜 나쁜 것인가. 결국 MZ세대는 미래, 가까이는 현재의 주축이 되어 분명 세상을 움직일 테니.

4. 앞으로의 세대OO. '갈등'일까, '통합'일까.

본래 세대 간 갈등이 이렇게까지 심했던 적은 없었다고들 한다. 오히려 당시 세대를 성장시켜 줄 세대는 이전 세대였으니. 어쩌면 서로를 반겼다는 말이 맞겠다. 갑작스런 세대 앓이 전까지만 해도 세대별 분류는 그저 재미 혹은 명칭에 불과했다. "이 세대는 어떻다더라", "저 세대는 어떻다더라…". 언제부터 세대 앓이가 시작됐을까.

2023년 현재, 10대부터 40대까지를 아우르는 MZ세대 중에서도 M세대와 Z세대는 서로가 같은 세대로 묶이는 것을 탐탁지 않아 할 수 있다. 어떻게 10대와 40대의 시각이 같을 수 있겠는가. 서로의 '공유'라고 할 것이, 진정 우러난 '공유'가 맞을 수 있겠는가. MZ세대의 넓은 범주에서도 모두가 태어날 때부터 사각형 불빛을 보고 태어난 것도, 개인을 먼저 생각한 것도 아닐 것이다. MZ세대 이후의 알파세대는 심심한 시간을 달래기 위해 스마트폰을 찾는다고 한다. 알파세대란 2010년 이후에 태어난 이들로 Z세대 다음의 세대다. 인공지능 및 로봇 등으로 어렸을 때부터 전자기기와 친구를 맺었다. 기술적 진보가 뛰어난 시점에 눈뜬 알파세대는 그 자체가 익숙할 것이다. 본래 태어날 때부터 갖고 자란 습성은 한순간에 바꾸기 어렵다. 알파세대는 이제 온라인이 없는 세상을 상상조차 못할 것이다. 전자기기가 당연한 이들은 우리의 시각과는 완전히 다르다. 어쩌면 온라인 세계와 오프라인 세계의 구분이 없는 세상에서, 이들에게는 오프라인 자아를 먼저 생각하라는 조언이 우습게 들릴 수 있다. 말과 글보다는 그래픽이 가미된 이미지나 영상이 당연하고 오프라인 자아, 온라인 자아를 넘어 가상세계의 자아까지 존재할지 모른다. 처음에는 이러한 세대 분위기를 이해하지 못할 수 있지만 언젠가 적응하고 이해해야 할 때가 올 것이다. 세대는 바뀌어 가니까. 세대 간에 등 돌릴 필요가 없다.

MZ세대와 기성세대 간의 갈등이 일어나는 것처럼 알파세대와 MZ세대 간 갈등도 분명 존재할 것이다. 새로운 세대는 언제까지나 신세대, 존중해야 할 세대로 여겨지지는 않는다. 새롭게 등장하는 세대는 또다시 주목받고 우리는 이전 세대로 불릴 때가 -어쩌면 벌써- 온다. 우리에게는 세대를 받아들이고 서로 이해하려는 태도가 필요하다. MZ세대도 언젠가 '옛날 사람'이 될 테니. 기성세대도, MZ세대도 새로운 세대가 앞으로를 이끌 주역임을 기억하고 존중하면서도 성장시키려는 열린 자세를 취했으면 한다. -이렇게 나조차도 "세대, 세대"하며 세대 앓이 하고 있지만- 무엇보다 세대를 '편'으로 인식해서는 안 된다. 그저 하나의 인격체로서 인정받을 수 있도록 편향된 세대 앓이에 숨지 말고 본인을 뽐내라고 말하고 싶다.

5. 책의 다른 저자들에게 물었다.
- MZ세대라서 어때?

- **김동환**

"사실 원래부터 세대를 나누는 말들은 있지 않았는가? 세대를 나누는 것 자체가 큰 문제라고 생각하지 않는다. 다만 어떤 행동이든 특정 세대만의 특징으로 규정지어 운운하는 것은 문제가 있다. MZ세대는 그냥 MZ세대인 것이다. 시대의 흐름에 따라 특징들이 달라질 수는 있지만 속한 세대 구성원들이 모두 다 같을 것이라는 편견은 거두었으면 좋겠다."

- **정준영**

"매체에서 MZ세대의 분류를 보고 너무 광범위하다는 생각이 들었다. 1980년생부터 2010년대 초반생이 어떻게 같은 세대로 묶일 수 있다는 것인지 이해가 잘 가지 않는다. MZ세대라는 말이 오히려 개인을 억압하는 것 같다."

- **강영흠**

"사실 MZ세대라는 말이 그다지 긍정적으로 다가오지도 않고, 그렇다고 해서 부정적으로도 다가오지 않는다. 단지, 세대를 구분하는 말로 들려올 뿐이다. 하지만 일부 사람들은 'MZ세대라서 그래라'며 편견을 가지고, 잘 알지도 못한 채로 편향된 생각으로 굳혀진다. 이러한 일종의 낙인찍기 행태는 지양해야 하는 것이라 생각한다. 그저 서로의 세대를 존경하고 존중한다면, 세대 간의 화합이 이루어지면 좋겠다."

- **김지윤**

"MZ세대라서 어떻다 할 별도의 생각을 해 본 적이 없다. 누가 명명했는지도 모르는 세대 구분이 웃기기도 하고…. 나는 그저 현대 사회를 살아가는 '김지윤'일 뿐이다. 'MZ세대 김지윤'이라고 생각하며 생활하지 않았고, 그렇다고 막연히 부정적으로 생각해 본 적도 없다. 그저 나 자신을 타인의 시각에서 국한하는 일종의 프레임이라고 생각한다."

- **김시현**

"MZ세대라서 어떻냐고 묻는다면, MZ세대라서 가능성이 있는 사람이 된다고 답하고 싶다. 세대의 특성은 두드러지게 드러나기 마련이다. 바뀌어 가는 현대 사회 속에서 자연스럽게 일어나는 현상이라 생각한다. MZ세대에게는 나쁜 점만 있는 건 아니다. 이전 세대와 생각하는 가치관이 달라졌을 뿐이지 가능성이 다분한 세대라고 생각한다. 내가 MZ세대이기에, 지금 이 책을 쓰는 도전을 할 수 있는 것이라 느낀다."

6

완벽을 추구하는 사회,
나는 완벽강박증일까?

1. 완벽을 추구하는 우리

완벽한 사람이 되고자 하는 건 당연한 욕심이다. 완벽함이란, 모든 분야에서 본인의 능력치가 최대가 되는 것을 뜻한다. 몇 년 전까지는 분명 완벽하지 않아도, 특출나게 잘하는 무언가가 있다면 혹은 완벽을 위해 열심히 달려가는 모습을 보여주면 인정해주곤 했었는데…. 요즘 내가 살아가는 세상은 한 가지만을 특출나게 잘하기엔 각박하다고 느껴진다. 사회는 언젠가부터 젊은이들, 즉 나와 내 또래 친구들에게 이상한 강박을 가지게 하는 것 같다. '당연히'라는 부사 아래 어느 하나 모난 데 없이 모든 분야에서 최고가 되고자 하는 것이 이 사회를 살아가는 젊은이들의 이유이자 목표가 되었다.

새롭게 정의한 '완벽강박증'

이 장에서는 완벽한 사람이 되어야 함을 강박으로 여기는 젊은이들의 현실을 설명하고자 한다. 나는 이 현상을 '완벽강박증'이라 정의했다. 완벽강박증을 설명하려면 '완벽주의'라는 단어를 먼저 소개해야 한다. 심리학에서 완벽주의란 완벽한 상태가 되어야 한다고 믿는 신념으로 완벽한 성취력, 개개인의 역량, 사회적 조건들의 내면화를 타의적으로 혹은 자의적으로 강요받을 경우에 나타난다. 보통의 사람들도 지금보다 좀 더 노력을 기울이고, 좋은 결과를 얻고 싶어하는 욕망이 있기 마련이다. 물론 이런 것들이 적당히 잘 발휘된다면 자연스럽게 건강한 동기로 작용하여 본인의 성장을 위한 원동력이 된다. 그러나, 노력에 대한 결과에 만족하는 사람들과 달리 완벽주의자들은 본인의 노력에 만족할 줄 모르고, 끊임없이 스스로에게 채찍질을 가한다. 즉 완벽주의는 자신뿐만 아니라 채찍질을 보는 주변 사람들 또한 힘들게 만들며 자기 인생의 만족감을 떨어뜨린다. 하지만, 본 장에서의 '완벽강박증'은 완벽주의와 비슷하고도 다른 개념이다. 완벽주의는 완벽을 추구하는 가치관이 성립된 반면, '완벽강박증'은 자꾸만 이 사회에서 출현하는 다재다능한 팔방미인 인재상을 보며 강박을 느끼는 젊은이들의 비애이다.

육각형 인간과 완벽강박증, 그들의 연관성

이는 <트렌드 코리아 2024>에서 주제로 발탁된 '육각형 인간' 모티브가 되어 탄생한 개념이다. 육각형 인간은 완벽한 최고의 자아를 선망한다. 다시 말해 노력으로는 이루기 힘든, 태어날 때부터 모든 분야에서의 완벽한 이미지를 원한다.

육각형 인간이라는 트렌드의 사회적 배경이 무엇인가. 2010년대 초 한국 사회의 중요한 키워드 중 하나는 '노력'이었다. 노력하면 무엇이든 이루어진다는 다짐이 성공을 이끄는 시대였다. 1만 시간의 법칙, R=VD 'Realization=Vivid Dream' 등에 대한 이야기가 나왔다. 하지만, 그렇게 노력 이야기를 하다가 2010년 중반 때쯤이 되면서 '헬조선(지옥을 의미하는 hell과 우리나라를 의미하는 조선을 결합하여 만든 말)'이라는 키워드가 급속도로 부상한다. '우리 사회는 헬조선이기에 어떤 노력을 해도 성공하지 못한다', '어떻게 해도 이젠 안 된다'라는 생각이 널리 퍼지게 된다. '기득권들이 너무 단단하게 자리잡고 있어, 우리가 스스로 길을 개척하지 못한다면 우리에게 기회는 없어진다'는 청년 세대의 담론이 헬조선 시대를 불러일으켰다. 이런 상반되는 두 시대를 거쳐가면서 결국은 모든 것이 완벽해야 하는 육각형 인간이 나온 것이다.

나는 한 커뮤니티를 통해 육각형 인간이라는 개념을 접하게 되었다. 4세대 아이돌이 줄줄이 데뷔하기 시작하고, 춤, 노래, 외모, 학력, 자산, 성격 등 어디 하나 부족한 것 없어보이는 데뷔 직후 첫 모습에서부터 확산되었다. 하지만, 4세대 아이돌 탄생 이전 사회는 성공한 흙수저, 고진감래의 서사에 열광했다.

2015년, 당시 신인 여자 걸그룹 '여자친구'는 빗속의 미끄러운 무대에서 넘어지는 일명 '꽈당 직캠'을 시작으로 역주행하여 대세 걸그룹으로 거듭났다. 꽈당 직캠의 반응이 뜨거워진 이후, 여자친구는 발매하는 음반마다 줄줄이 인기차트에 올라 지금까지도 화제의 아이콘이 되고 있다. 꽈당 직캠이 화제가 될 수 있었던 이유는 시청자들의 동정심을 유발한 데에 있기도 하다. 무명 소속사에서 시작하여 흙수저 환경을 이겨내고 1위 여자 아이돌이 된 '여자친구'는 '밑바닥 성장형 아이돌'로 불리기도 했다. 이러한 개천에서 용 나는 '흙수저 서사'가 당시는 상당히 유행했다. 비교적 최근의 사례도 있다. 걸그룹 '브레이브걸스'는 군부대 위문공연에서 〈Rollin'〉이라는 곡으로 무대를 선보여 2021년 또 한 번 역주행의 신화가 되었다. 데뷔 이후 지상파 1위까지 최장 기록을 찍은 '브레이브걸스'는 10년 동안의 우여곡절 많은 서사 때문에 대중들에게 더욱 긍정적인 이미지로 각인됐다.

그러나 지금은 우여곡절 서사보다는 등장부터 어디 하나 빠짐없이 완벽한 아이돌에게 열광한다. 이제는 완전히 다른 시대가 찾아온 것이다. 4세대 대표 여자 아이돌 '뉴진스'의 데뷔년도는 2022년으로 지금으로부터 불과 1년 전이다. 데뷔 직후 뉴진스는 노래·랩·외모 담당으로 나뉘어있던 걸그룹의 포지션의 틀을 완전히 깨버린 '완성형 아이돌'이라는 타이틀을 가지게 되었다. 주관적일 수도 있으나, 1020세대 사이에서 뉴진스는 노래면 노래, 춤이면 춤, 외모면 외모 어느 그룹에 끼워 넣어도 결국 빛날 개개인의 역량을 가진 아이돌로 판단된다. 이들을 시작으로 어느 하나 빠짐없는 팔방미인형 아이돌들이 대거 등장하게 된다. 이제는 실력뿐만 아니라 외모부터 인성까지 모두 완벽해야 대중들에게 사랑받을 수 있는 것이다.

아이돌은 1020세대에게 동경의 대상이다. 대중들의 가치관이 변화하는 현상을 맞이하며, 1020세대가 동경하는 모습도 달라졌다고 생각한다. 흙수저 서사는 너무 뻔해졌다. 지금은 흙수저 기획사여도 육각형 능력이 다 갖춰진다면 주목받으며, 아무리 금수저 기획사임에도 육각형 능력 중 어디 하나 모자라면 사랑받지 못한다. 더이상 기획사의 크기에 따라 주목받는 구조가 아닌 것이다. 이로써 젊은이들이 동경하는 것이자 이 사회가 바라는 것은 육각형 인재가 되었다. 멀리 돌아왔지만, 결국 육각형 인재를 보며 '완벽'이라는 단어에 강박을 느끼고, 부담을 가지는 심리를 '완벽강박증'이라고 다시 한번 말한다.

완벽강박증의 3가지 유형

내가 본 완벽강박증을 3가지 유형으로 나누어 설명할 수 있다. 1) 모방형 완벽강박증 2) 자기만족형 완벽강박증 3) 과시형 완벽강박증으로 나누어보자. 이 3가지 유형은 사전에 정의된 것은 아니지만, 주변을 둘러보았을 때 보이는 공통점을 묶어 만든 참고용 가제이다.

첫 번째는 모방형 완벽강박증이다. 모방은 이른바 '흉내내기'인데, 다른 사람의 행동을 관찰하고 따라하는 행위이다. 모방은 발전으로 이끄는 사회 학습의 일종이다. 다른 사람의 삶을 보며 완벽하다고 인지하고, 그 사람의 삶을 모방하며 완벽해진다고 느낀다. 이해가 쉽도록 남부러울 것 없는 직장에 취업한 20대 A라는 인물을 설정해본다. 알고보니 이 A는 직장을 다니면서, 취미 생활도 여러 개 있으며 남자친구도 있고, 동성 친구들도 많아 여기저기 여행도 많이 다닌다. 말하자면 누가봐도 열심히 사는 사람이다. 이런 A를 완벽하다고 생각하여 부러워하는 B는 A의 삶을 동경하며 A와 같은 생활 패턴으로 완벽해져야 한다고 생각한다. B가 가진 것이 바로 완벽강박증이다.

두 번째는 자기만족형 완벽강박증이다. 열심히 사는 게 좋아서, 빼곡한 스케줄 속에 부지런한 내 자신이 좋아서, 완벽한 시간표가 나를 발전시키게 해준다고 생각하는 사람들이다. 이 사람들은 강박처럼 빼곡한 스케줄을 살아간다는 특징이 있다.

마지막은 과시형 완벽강박증이다. 과시는 남들과 다르다는 걸 드러내 자신을 자랑하는 행위이다. 이들 또한 완벽한 삶을 살고자 한다. 하지만, 과시가 목적이다. 요즘 젊은 세대들은 SNS를 통해 일상을 공유하는 것이 다반사인데, 이를 이용하여 본인의 완벽한 삶을 드러내고자 한다.

우리들은 완벽을 강박으로 여기는 완벽강박증이라는 마음의 병을 앓고 있는 것 같다. 완벽을 추구하는 우리의 모습이 왜 보이기 시작한 것일까?

2. 미디어에 비춰지는 20대

다양한 미디어 채널이 생기며, 예전엔 베일에 감춰진 재벌 2·3세들의 일상을 실시간으로 들여다 볼 수 있는 기회가 많아졌다. 유명 연예인이나 셀럽이 아님에도 불구하고 수천, 수만 명의 팔로워를 보유한 사람들이 증가했다. 유튜브, 인스타그램, 트위터 등 많은 미디어로 그들의 일상을 공유한다. 사진 한 장만 올려도 곧바로 기사화되는 사람들, 재벌가 오너 그리고 그 자녀들이다. 재벌의 인식은 드라마에서 나오는 모습에서 주를 이루지만 요즘 그들의 모습은 각종 SNS를 통해 친근한 모습으로 우리에게 비춰진다. 그들은 소소한 일상뿐만 아니라 아이덴티티, 커리어에 관련된 아이디어까지 꾸밈없이 공개하며 대중과 꾸준히 소통하고 있다.

현재 미국에서 유학 중인 대림산업 4세 이주영은 본인의 호화로운 재벌의 삶을 유튜브로 공개하여 화제를 일으켰다. 그녀는 2000년생으로 미국 조지타운대학교에서 국제경영학과 마케팅을 전공하고 있다. '줄스 다이어리 Julesjylee'라는 채널을 개설하여 꾸밈없는 자신의 삶을 보여준다. 이주영과 다르게 본격적인 유튜버로서의 삶을 보여주는 재벌 3세도 있다. '오뚜기' 함영준 회장의 장녀 함연지는 자신의 유튜브 채널 '햄연지'를 개설하여 일상을 공유하고 있다. 원래 뮤지컬

배우였지만, 샌드박스 네트워크와 최근 계약을 맺고 전문 유튜버로서 성장하고 있다. 오뚜기 장녀인 타이틀을 이용하여 오뚜기 제품을 활용해 요리하거나 관련 질의응답을 재치있게 진행하는 등 재벌 3세임에도 털털한 모습들이 어렵지 않게 관찰할 수 있다. 이들이 더욱 대중들에게 화제가 되었던 이유는 꽁꽁 숨길 줄만 알았던 재벌들의 일상을 훤히 드러낸 것이기 때문이다.

어렸을 적 재벌 소재 드라마들을 많이 즐겨보곤 했다. 〈상속자들〉, 〈꽃보다 남자〉, 〈사랑의 불시착〉 등 재벌 소재의 드라마들은 주로 히트작이 되었다. 항상 고풍스럽고 길쭉한 식탁에서 밥을 먹는 장면, 명품 옷을 마음껏 사거나 쉽게 버리는 장면 등 실제 재벌의 삶이 100% 녹아들어 있는 것이 아닌 사실을 대중들은 알게 되었다. 재벌들은 우리와 똑같은 일상 속에서 육각형 능력이 다 갖춰진 사람들이라는 인식을 가진다. 이로써, 아이돌 못지 않은 동경의 대상이 된 것이다.

'갓반인'이라는 말 들어봤을 것이다. 일명 '갓반인'은 신을 의미하는 갓(GOD)과 일반인의 합성어이다. 신에 버금갈 만큼 부러울 것 없는 인생을 살아가는 일반인을 의미한다. 유명 TV 프로그램이나 미디어 채널과 함께 숨은 보석 같은 일반인이 출몰하고 있다. 유통업계 또한 최근 엠버서더를 사용하는 전략이 변화해가고 있다. K-POP 아이돌부터 배우, 스포츠 선수 등 인기 스타들을 엠버서더로 선정하려던 기업들이 이제는 일반인을 물색한다. 미디어에 노출되기 전까지는 일반인이기에, 보는 이들에게는 톱스타보다 가깝게 느껴지고 닮고 싶다는 동경심으로 소비자들을 유입하기 때문이다.

'환승 연애', '하트시그널' 등 연애 장려 프로그램들이 줄줄이 방영되며 히트를 친다. 갓반인 생성의 대표 프로그램인 '하트시그널'은 시그널 하우스에 청춘 남녀가 입주하여 펼치는 연애 심리를 분석하고 관찰하며 최종 커플을 추리하는 짝 매칭 예능 프로그램이다. 2017년부터 시즌별로 방영되어 현재까지 진행 중이다. 시즌 1이 방영될 당시에는 연애 프로그램이 다소 익숙하지 않은 탓에 화제성이 떨어졌지만, 회차가 거듭할수록 대중들에게 큰 사랑을 받았다. 방영하기 전부터 프로그램 출연자에 관한 이야기가 올라왔을 뿐만 아니라 외모부터 학력, 과거사, 성격 등 출연자에 관해 자세하고 다양한 정보들이 스멀스멀 올라오곤 한다. 평범한 연애 프로그램임에도 불구하고 왜 이들은 화제가 되는 것일까?

예시로 지극히 주관적인 〈하트시그널4〉 출연자들의 특성을 살펴보자. 방영 직후 남자 화제성 1위를 기록한 출연자 신민규는 잘생긴 외모와 더불어 다정한 성격으로 여자 출연자들의 인기를 얻는다. 여자 시청자들의 눈길 또한 사로잡는데, 여기서 더 중요한 건 그의 배경이다. 외국어고등학교를 졸업하여, 고려대학교 불어불문학을 전공하였으며 현재는 전략컨설턴트로서 활약 중이다. 다른 남성 출연자들도 마찬가지이다. 남성 출연자 유지원은 과학고등학교를 졸업하여 서울대학교 공과대학을 거쳐 경희대 의과대학을 진학했다. 연애 프로그램이기에 본인을 꾸미거나 다정하게 대해주는 등 잘 보여야 하는 건 당연하다. 즉, 하트시그널에서 이 둘의 공통점은 잘생긴 외모와 다정한 성격이었다. 더하여 뛰어난 학벌, 배경 등이 밝혀지니 이들은 갓반인으로 거듭난 것이다. 여자 출연자들도 마찬가지이다. 여자 출연자 이주미는 귀여운 외모와 똑부러진 성격에 더불어 숙명여자대학교 법과대학을 졸업하여 현재 변호사를 직업으로 삼고 있다. 특히 여자 출연자 유이수는 중간에 투입되어 눈에 띄는 외모와 착한 성격 혹은 말투로 출연자들의 마음을 흔들어놓는다. 그녀는 일리노이 대학교 어배너-섐패인 광고학과에 재학 중이며 모델이자 어린 대학생이다. 이들은 방영 당시 모두 연예인 이상으로 높은 화제성 순위를 기록했다. 평소 이미지 노출이 많이 된 연예인들이 아닌 일반인들을 출연시켰다는 점에서 더 몰입해서 보게 된다.

〈하트시그널〉 말고도 환승연애, 솔로지옥 등 다양한 연애 프로그램이 동시간대 시청률 1위를 기록하고 있다. 연애 프로그램의 갓반인 생성은 계속된다. 여기서 중요한 점은 이들은 모두 20대, 많아야 30대이다. 이렇게 갓반인들의 삶이 대거 노출되면서 20대의 기준점이 달라진다.

20대로서 또래 친구들의 고민 유형은 진로, 적성, 취업, 인간관계 등 다양하다. 이 중 가장 많이 하고 있는 고민은 단연 진로 고민일 것이다. 취업난으로 둘러싸인 20대의 각박한 현실이 주요 고민을 만들어냈음을 알 수 있다. 이들은 멘토로 삼고 싶어하는 사람, 바라는 인간상이 있다. 연예인이나 성공한 사업가 혹은 유명인사도 있겠지만 진짜 주변에 있는, 평범하지만 성공하여 닮고 싶은 사람을 멘토로 생각하고 싶어한다. 이런 측면에서 재벌 3,4세들의 유튜브 채널 혹은 연애 프로그램은 이들을 타깃으로 삼기에 성공했다. 하지만, 앞서 말한 재벌 3·4세 혹은 떠오르는 갓반인들의 완벽한 능력치는 부담으로 다가오기 마련이며 사회는 점점 이런 갓반인들을 출현시켜 평범한 20대 삶의 기준점이 되게 한다.

하나 둘 이런 사례들이 나타났을 때는 '부럽다'로 시작되었던 생각들이 점점 달라진다. '나도 더 열심히 살아야지'라는 말들이 '저 정도는 되어야 완벽하게 성공한 인생이겠지'라는 말들로 변화해간다. 쏟아져나오는 삶의 장면들이 완벽의 기준치가 되고, 미디어 속 비춰지는 20대들은 동경에서 부담으로 이어진다.

3. 갓생에 대하여

나의 이야기를 들려주기에 앞서, 갓생에 대하여 말하고 싶다. Z세대의 특성을 한 마디로 표현하자면 '갓생'일 듯싶다. 갓생은 신이라는 뜻의 갓(GOD)과 인생이라는 단어에서 '생'을 합친 합성어이다. 이 단어의 뜻은 신처럼 부지런한 삶 속에서 무엇이든 해내는 그런 삶을 말한다. 실생활 속에서 갓생의 쓰임은 이렇다. '나 오늘부터 갓생 살기 프로젝트 할 거야.', '넌 어떻게 그렇게 열심히 살아? 진짜 갓생이다.', '방학 때 되면 갓생 살아야지.' 등 갓생이라는 단어는 흔하게 쓰인다. 자신에게 주어진 시간을 촘촘하게 계획세워 표로 채우고, 이것을 실천할 것이라 선언한 뒤, 인증까지 하는 문화가 지속적으로 유행 중이다. 결국 갓생은 타인으로부터 주어진 숙제가 아닌 스스로 끼워 넣은 시간과 계획, 규칙을 적용하고 뿌듯해하며 자신이 갓생을 산다고 인정하는 놀이이다. 여기서 갓생의 핵심은 시간 운용의 책임은 본인 각자에게 있다는 것이다. 갓생을 사는 이들의 하루를 파헤쳐보면, 가히 "갓생"이라고 불릴 만하다. 우선, 출근 혹은 등교 전에 부지런히 일어나 운동 혹은 독서 등 자기계발의 시간을 갖는다. 퇴근·하교 후에도 취미활동 등 자신만의 루틴을 실천한다. 갓생을 실천하는 갓생러들에게는 출퇴근길이나 등하굣길, 점심시간 또한 자기계발에 쓸 수 있는 소중한 시간이다. 이러한 젊은 층의 다양한 갓생은 SNS나 유튜브에서도 흔히 찾아볼 수 있다.

젊은 사람들이 하루의 시간을 쪼개고 쪼개서 일정을 집어넣는 행위들이 어제오늘 일은 아닐 것이다. 예전에도 그래왔지만, 지금은 의미하는 게 다르다. 사회적으로 큰 성공을 위한 것은 아니지만, 소소하게 본인이 만족할 만한 성취감이나 행복, 지식 습득 등을 통해 삶의 만족도를 높이려는 의도이다. 예전처럼 공부나 아르바이트를 많이 하면 열심히 사는 것이라는 인식과 다르게 요즘은 동아리나 운동 등 취미 활동을 통해 시간을 활용하는 방법도 다양해졌다. 또, 이를 SNS로 공유하고 응원받고 싶어한다.

하루를 꽉 채워 쓰는 것은 쉽지 않은 일이다. 갓생을 사는 이들은 본인의 삶에 높은 만족도를 보이면서 한편으로는 오늘 하루 갓생을 사느라 힘들었다며 고충을 토로했다. 그럼에도 왜 많은 이들이 갓생을 살기 위해 노력할까.

전문가들은 갓생 유행에서 여러 사회상이 보인다고 말한다. 현재 우리가 살아가는 사회는 20대가 무한 경쟁과 끊임없는 비교 속에서 살아가게끔 조장한다. 성공의 문턱이 어느 때보다 높아진 것이다. 앞서 말한 미디어에서의 20대 모습 때문에 웬만해선 성취감도 느끼기 어려워졌다. 이로 인해 누군가는 좌절하기도, 또 누군가는 불안과 압박감을 느끼기도 한다. 코로나19 이후 갓생 열풍은 더욱 부각되었다. 팬데믹 기간 동안 사회적 거리두기 정책으로 인해 사회생활을 못하고 실내에만 혼자 있어야 하는 시간이 늘어났다. 이로 인해, 좌절감 혹은 불확실성을 느낀 사람들이 증가했다. 갓생 열풍은 일상과의 경계가 무너지며 삶의 안정을 추구하고자 하는 심리로 발현된 행동 패턴이며, 가치있는 삶을 살아가고자 하는 건강한 트렌드이다. 코로나19 이전에 유행했던 지금 살아가는 현재를 즐겨야 한다는 욜로족('You Only Live Once'라는 뜻) 또한 다시 미래를 생각해서 자기계발 하기에 나섰다. 최근에는 욜로족도 욜로를 위해서 살아가는 갓생러를 자처한다고 이야기한다. 과거와는 다르게 개인의 이력뿐만 아니라 건강과 취미, 취향까지도 24시간으로 쪼개서 완벽하게 관리해야 한다는 압박감이 생기고 있다. 지속적인 비교와 남들의 시선으로 인한 부담감으로 조금 더 나은 삶을 살아가야 한다는 생각이 커진 것이다. 갓생을 사는 사람들은 SNS에 이름하여, '갓생 모먼트'를 자주 업로드 하곤 한다. 이는 자신의 갓생 모먼트를 다른 사람에게 보여주지 않는다면 자기 통제가 어려울 수 있다는 생각이 담긴 불안감, 갓생의 대세를 따르고 있다는 모습을 보여주려고 하는 심리도 담겼다.

'N포세대'는 2015년에 등장한 신조어이다. N포세대에서 갓생으로 신조어가 변하기까지는 다양한 시대적 변화가 나타난다. N포세대의 특징은 극심한 취업난과 사회적 갈등 그리고 양극화 속에 살아가면서 많은 것을 포기해야 하는 청년 세대의 현실을 반영한다는 것이다. 포기와 좌절의 반복을 내포한 N포세대에서 갓생의 삶을 살아가는 세대로의 움직임은 긍정적인 현상이다. 하지만, 갓생의 유행은 자기계발과 목표 달성에 강박적일 수 있는 관념을 만든다. 또한 성공을 향한, 완벽을 향한 스스로의 채찍질로 여겨지기도 한다.

나는 갓생이 악질의 문화라고만은 생각하지 않는다. 오히려 이 시대를 살아가는 젊은이들에게 되려 좋은 영향을 끼칠 수도 있다고 생각한다. 갓생놀이에 합류한 젊은이로서 지금의 갓생놀이는 조금 변질되었을 지도 모른다. 나의 갓생은 대학교 학년별로 나누어졌다.

갓생은 입시 시절부터 유행했다. 대학교 입시를 위해 달려온 고등학교 3학년 때는 무척이나 겹겹이 쌓인 스케줄로 살았는데, 친구들이랑 갓생 챌린지를 하며 뿌듯해하곤 했다. 아침 자습을 신청해 친구들보다 30분 일찍 등교하여 하루 일과를 정리했다. 쉬는시간과 점심시간에는 너무 졸려 엎드려 자는 시간도 있었지만, 점심시간 자습을 신청하여 자투리 시간에도 친구들과 같이 공부했다. 모든 수업이 끝나면 야간자율학습을 했다. 밀린 학원 숙제를 체크하고, 오늘 배운 것들을 복습하는 시간을 가졌다. 야간자율학습 후에도 독서실에 가서 밤 늦게까지 공부하곤 했다. 이렇게 공부의 연속이었지만, 주말에는 학원도 가고 취미 생활도 했다. 스트레스 풀 겸 노래도 배우고, 춤도 배웠다. 취미와 공부라는 키워드로 이루어진 나의 고3 학교생활은 소소한 것들로 나의 삶의 만족도가 채워졌기에 갓생이라 부를 수 있다.

드디어 대학생이 되었다. 꿈에 그리던 대학에 입학하고, 하고 싶은 거는 다 해보고 싶었다. 고등학생 때처럼 정해져있는 일정이 아니었기에 요일별 시간대에 맞는 계획은 못 세웠지만, 열심히 시도하는 게 많아졌다. 학교생활을 열심히 하고자 학생회를 했고, 취미생활도 나누고 싶어 노래 동아리에 들어가기도 했다. 열심히 일을 해서 돈을 벌었을 때의 성취감이 좋아서 아르바이트도 일주일에 4번, 2곳에서 했다. 코로나19의 시대로 수강 중인 강의 방식에 한계가 있었지만, 학업에도 열중했다. 시도와 도전이라는 키워드로 이루어진 나의 대학교 1학년 또한 열심히 노력하고자 하는 열정으로 갓생이라 불렸다. 이때까지만 해도 마냥 내 삶의 빼곡하게 살아가는 게 갓생이라 생각했다. 코로나19 시대에 제약받는 것들이 많았지만 열심히, 더 열심히 살아야 한다고 생각했다.

대학교에 어느 정도 적응하게 된 2학년, 슬슬 사회적 거리두기 제한이 풀리면서 다양한 대면 행사를 참석했다. 이때도 학생회, 동아리 등 다양한 활동을 하며 적극적으로 학교생활을 했다. 갓생러인 나에게 무엇이든 도전하며 열심히 살아가기란 필수 덕목이었기에 1학년 때와 비슷하게 생활했다. 하지만 전년도와 비슷한 생활패턴이 적응됐기 때문인지 갓생이 와닿지 않았다. 더 좋은, 더 잘하는, 더 대단한 것들이 필요했다. 그러면서 코로나19 이후 다양해진 미디어의 콘텐츠들을 접했다. 앞서 말한 하트시그널이나 재벌 유튜버의 콘텐츠는 큰 화제성을 몰고 왔기 때문에 나도 처음으로 보게 되었다. 상당히 신선하지만 충격적이었다. 나와 비슷한 또래들이 외모도, 학력도, 집안도, 그리고 취미활동까지 부지런하게 해

온 것들을 보고 또다른 갓생을 느꼈다. '그래도 지금까지 열심히 살아왔는데, 내가 살아온 삶은 어쩌면 갓생이 아닐 수도 있겠구나' 하는 생각도 들었다.

그리고 막학년이 다 되어가는 3학년, 취업 준비를 본격적으로 해야 할 시즌에 한국어문학과의 학생회장을 맡게 되었다. 1년 동안 각 달마다 여러 행사를 추진하고 기획하면서 누군가를 이끄는 이 활동들이 재미있었다. 또, 많은 사람들에게 보이는 이 자리는 정말 모범이 되어 열심히 살아가야 한다고 생각했기에 공부도 하면서 취미생활도 계속했던 것 같다. 하지만, 주변 친구들의 '너 진짜 갓생 산다'라는 말들은 '너 진짜 열심히 자기관리 하면서 산다~'라는 말보다는 '너 어디 하나 모자란 게 없구나… 완벽하다!'라는 말로 받아들이고 싶어졌다. 그리고 완벽한 사람은 얼굴도 예뻐야 하고, 심성도 좋아야 하며, 누구에게나 사랑받고, 돈도 많아야 하고…. 그냥 다 갖춰야 한다고 생각했다. 그 마음 때문인지 아르바이트도 더 열심히 하게 되었다. 없는 시간 쪼개어 바쁘게 아르바이트를 하고, 착한 심성을 뽐내고자 선후배와 동기들에게 밥과 선물을 사주며, 무리한 다이어트를 하고 매일같이 두껍고 진한 화장을 하고 다녔다.

내가 생각하는 갓생을 살고는 있지만, 정작 뿌듯함은 남지 않았고 오히려 나를 잃어버리는 듯한 기분이 들었다. 완벽한 사람이어야 한다는 강박은 심해지고 스트레스가 쌓이면서 학과 행사 진행에 있어 자존감이 많이 떨어졌었다. 학기가 마무리돼 갈 때쯤 문득 그런 생각이 들었다. 뭔가 잘못되고 있다.

4. 인생에서 성공하는 비결, ONE THING

'The one thing (원씽) : 복잡한 세상을 이기는 단순함의 힘'이라는 책에서는 <굿바이 뉴욕, 굿모닝 내 사랑>(city slickers)의 영화 장면을 삽입했다. 그 영화에서는 이런 말이 나온다.

'자네 인생에서 성공하는 비결이 뭔지 아나?'
'아니요 모르겠는데요, 뭔데요?'
'바로 이거지. (검지 손가락을 들어올리며)'
'손가락이요?'
'하나, 단 하나. 그 하나만 끈질기게 해나가면 다른 모든 일은 아무 의미가 없어지거든.'
'그거 참 대단하군요. 근데, 그 '단 하나'가 대체 뭔데요?'
'그건 자네가 직접 알아내야지'

이 책의 표지만 읽고도 머릿속이 정리되는 기분이었다. 단순함의 힘, 그리고 한 가지…. 한 가지에 주목하는 것이, 하나만 잘해도 성공한 인생이라는 것이다. 어쩌면 위에서 나온 것들은 너무 복잡하고 피곤한 듯하다. 바쁜 삶을 쪼개서 더 바쁘게 살라니. 할 것도 많은데 해내야 할 것들도 많다. 완벽함을 얻어내려고 하는 이유는 '불안해서'가 큰 것 같다. 이런 또렷한 이유에도 불구하고, 내 또래들은 능력보다 너무 많은 것을 해내려고 하는 경향이 있다. 갓반인, 갓생, 육각형 인간. 이 모든 것들이 한 가지만 잘해서는 되기 힘든 것들이기 때문이다. 완벽하다는 것은 어느 방면에서도 모자람이 없다는 뜻이니 당연히 많은 것을 해내려고 허덕이는 것 같다.

한 가지만 바라볼 수 있는 진짜 방법은 외부 요인들을 제거하는 것이다. 누군가에게 혹은 어느 것에서 영향을 받아서 내 자신을 잃으면 안 된다. 미디어에 나오는, 사회적으로 일반화된 20대의 모습을 의식하지 않아야 한다고 생각한다. 외부 요소를 제거하고 복잡성을 줄이는 것은 명확한 목적의식이 생기게 하며, 의지력이 요구된다. 물론 여기서 제일 중요한 건 명확한 목표가 있어야 한다는 것이다. 주변에 치우쳐, 이것저것에 욕심이 많아 많은 일을 한 번에 해내려고 하는 사람이 되기보다 하나의 일을 제대로 하려고 노력한다면 더 완벽해질 수 있는 길에 도달할 수 있을 것이다.

어쨌든 자신이 가고자 하는 뜻이 있는 사람은 길이 뚜렷해진다. 특히 20대는 진로와 취업이 우선이 되는 시기이기에 그 길이 더욱 뚜렷해지는 것 같다. 때로는 정말 자신이 원해서 가는 길일 수도 있고, 때로는 누군가의 말 혹은 시선에 의해 가는 길일 수도 있어 떠밀려가는 듯하지만, 결국 그마저도 선택하고 결정하는 것은 본인 스스로이다.

본인 스스로 올바른 결정을 하게 하기 위해선 한 가지만 집중하는 게 좋을 것 같다. 작은 것이라도 한 가지에 몰두하면 쌓이고 쌓여 무언가를 바꿀 수 있는 큰 힘이 된다. 이 말들은 완벽한 사람이 되기보다 성공한 사람이 되기 위해, 무언가에 영향을 주고 싶은 사람이 되기 위해 하는 말인 듯싶다. 완벽한 사람이 성공한 사람이라고 생각하기에 단 한 가지의 단순한 힘, ONE THING을 잊지 않아야 한다.

5. 앞으로 우리는

아직 성인이 되고 얼마 안 지났지만, 앞으로는 더더욱 여러 경험들을 해보게 될 것이지만, 책을 쓰기까지 느낀 것들이 많다. 먼저 강조하고 싶은 것은, 완벽은 어디에도 없다는 것이다. 완벽한 것들에게도 개선해야 할 문제점이 생긴다. 기본적으로 우리는 완벽한 것을 가장 좋게 여기지만, 사실 완벽할 수 없다. 그렇기 때문에 사람은 어떤 완벽한 인간이 되는 것이 아니라, 조금 더 노력해서 조금 더 나은 사람이 되려하는 것이다. 그렇다면 더 나은 인간과 완벽한 인간의 가장 큰 차이는 무엇일까? 근본적으로 더 나은 사람은 나의 허점과 잘못된 점 혹은 무엇인가 메워나가야 할 게 많다는 사실을 인지하고 있지만, 완벽한 사람은 그걸 다 이미 메운 사람이라는 뜻이다. 이 차이점에서 엄청난 격차가 벌어지는 것 같다. 더 나은 것을 꿈꾸는 사람들은 근본적으로 본인이 성장할 수 있다는 가능성과 향상감이 있는 반면에, 완벽하다고 생각하는 사람들은 자신의 완벽을 유지해야 한다는 강박에 휩싸이게 된다고 생각한다. 그 강박이 해결되지 않는다면, 우리가 겉으로 볼 때 아무 문제 없는 또래 친구들이 사회로부터 공황장애를 느낄 수도, 나아가 사회생활을 못하는 결과까지 초래할 것이다. 왜냐하면 자신의 완벽하지 않은 모습을 보여줄 수 없기 때문이다. 항상 완벽해야 한다는 강박 그 자체가 정신적으로 괴롭히기 때문에 더욱 괴로울 것이다.

더하여 완벽에 대한 강박증은 소비사회이기 때문에 나왔을지도 모른다. 〈트렌드 코리아 2024〉의 키워드인 육각형 인간은 인간을 하나의 상품으로 봤기 때문에 나온 개념이다. 상품에 흠이 있으면 안 되기에 '완벽'을 원하는 것이다. 상품에 흠이 있다면, 가치가 떨어져 팔리지 않고, 불량품이 되어버리는 것이다. 그래서, 근본적으로 상품은 언제나 완벽하고, 겉이 튼튼해야 한다. 상품이 튼튼하려면 내구성이 좋아야하는데 이 사회에서는 그것보단 겉이 어떻게 포장되어 있느냐가 훨씬 중요하게 여겨지는 것 같다. 상품으로 따졌을 때 디자인이 강조되기에 사람을 상품으로 인식하면 외모도 중요해지는 것이다. 하나의 사람을 상품으로 바라보기 시작하는 시선, 생각과 관념들이 이 완벽강박증에도 나타나는 것이다.

최근, SNS에서 화제가 된 영상 중 하나는 배우 정우성이 가수 성시경의 유튜브 채널에 출연해 음주 방송을 하는 내용이었다. 정우성은 어렸을 적 안 좋은 집안 형편 탓에 고등학교를 졸업하지 못했다. 완벽강박증 식의 기준이라면, 정우성은 배경이 안 좋기에 품위있지 못하고 성공하지 못한 인생을 살아가야 한다. 하지만 학력이나 집안 등 조건과 상관없이 그가 살아온 삶은 그가 누군지를 보여준다.

완벽한 인간은 없다. 완벽하면 신인 것이다. 사람을 늘 비어 있고, 채워나가야 하며, 아무리 채워도 비어 있고, 아무리 채워도 온전해질 수 없는 존재이다. 반면, 신이라 함은 그 존재 자체로 완전하다고 믿기 때문에 신이라고 여기고 믿는 것이다. 그런데, 우리가 이 완벽에 대한 모든 기준을 정해버리고, 이걸 채우는 사람들만이 완벽하다고 추구하는 건 인간이 신으로 되고자 하는 욕망이랑 다르지 않다. 신을 향한 욕망 자체가, 즉 육각형 인간의 기준이 사회적 트렌드가 된다는 것이 이 사회를 살아가는 20대로서 비통하다.

우리가 지금 살고 있는 사회는 20대들의 완벽을, 육각형 인재를 추구하는 사회이다. 성공하지 못하면 존중받지 못하는 사회이기 때문에 더 완벽해지고 싶어한다. 하지만, 어떻게 보면 이는 좌절의 표현일 뿐이다. 생각해보면, 우린 어렸을 적부터 육각형 인간이 되고 싶어했을지 모른다. 국어학원부터 시작해서 영어학원, 수학학원, 논술학원 등 각종 학업적인 학원부터 태권도학원, 미술학원, 피아노학원들을 다니며 시간과 돈을 쏟아부어봤을 것이다.

완벽해질 필요는 없다. 그것에 대해 강박을 느끼지 않는 것이 중요하다. 그저 어제보다 나은 삶을 살아가면 되는 것이다. 완벽함을 따라가고자 자기 자신을 놓치게 되는 모든 내 친구들에게 전하고 싶다. 자기 자신을 존중하는 마음이 없으면 살아가기에 벅차다. 사회가 정해놓은 이상한 '완벽'이라는 기준에 눈이 멀어 자존감을 버리면 안 된다. 자존감을 지키기 위해서 완벽해져야 한다는 강박을 버리는 게 필요하다.

6. 책의 다른 저자들에게 물었다.
- 완벽해지기 위해서는,
어떻게 해야 한다고 생각하는가?

- **김동환**

"완벽하다고 생각하는 사람을 떠올리면 그 사람의 허점이나 약점이 생각이 안 난다. 그러므로 일단 가장 먼저 자신의 약점을 알아야 할 것 같다. 자신이 부족한 부분은 지속적으로 채워가고자 노력해야 할 것이고, 본인이 남들보다 더 뛰어난 부분을 특화할 수 있도록 노력해야 할 것 같다."

- **정준영**

"완벽하기 위해선 말 그대로 모든 면에서 단점이 없어야 하지 않을까? 타고나게 완벽한 사람이면 몰라도 후천적인 노력을 통해서 완벽해지기는 어렵다고 생각한다. 아무리 노력해도 바꿀 수 없는 점이 있기 때문이다."

- **강영흠**

"완벽해지기 위해서는 자기 자신에 만족할 수 있는 태도를 가져야 할 것 같다. 남들의 '완벽함'이라는 시선에 기준을 맞춘다면, 그것은 아마 저자의 말처럼 불가능하지 않을까. 그렇다고 해서 안일하게 아무것도 하지 않고 자기 자신을 완벽하다고 생각하면 안 되겠지만, 자신의 목표를 가지고 해내는 모습에 만족한다면 그것 자체가 '완벽'이라고 생각한다."

- **김지윤**

"이 챕터를 작성한 저자처럼, 완벽해지기 위한 강박은 벗어야 된다고 생각한다. 정말 중요한 것은 '나만의 기준'이다. 내가 설정한 목표에 따라 노력하고 성취하고 성장해내는 과정이 중요하다고 생각한다. 이러한 맥락으로, 완벽해지기 위해서는 '나 자신을 정확히 파악하기'가 중요하다고 생각한다. 타인의 기준에 맞추어 살아가는 것이 아니라, 내가 나를 위해 살아갈 기준을 확립하는 것을 강조하고 싶다."

- **이가현**

"완벽해지기 위해? 나를 가꾸고 또 가꿔야 한다고 생각한다. 그러나 그게 쉬운 말은 아니다. 완벽해지고 싶은 마음은 언제나 있지만, 타인의 기준에 모두 맞출 수 없기에 본인만의 기준을 따르면 된다. 심지어 그마저도 '완벽'하다고는 할 수 없다. 그럼에도 조금 더 좋은 결과 그리고 나를 위해 노력하면 내가 생각하는 완벽에 한 발 더 가까워지지 않을까 하는 마음이다."

'프로젝트'라는 단어가 그리 낯설지 않은 요즘. 여럿이 모여 몇 권의 '책'을 만들기로 했다. 일상 곳곳에서 맞닥뜨리는 지극히 익숙한 대상이지만, 줄곧 읽을 생각만 했지 정작 이를 만드는 일까지는 상상해 보지 못했던 터였다.

'가천'에서 '인문'으로 만난 이들. 처음부터 끝까지 기획, 집필, 편집, 디자인 모두 이들 손에 이루어졌다. 매년 이맘때면 이런 결과물이 앞자리 번호를 달고 하나둘 쌓이리라 기대한다. 시간을 거스르며 결국은 그 숫자들이 우리를 이어 줄 것이다.

짧지만 강렬했던 한 달이 지난 지금, 어느새 모두 책 한 권의 저자가 되었다. 첫 출판의 도전을 마치자마자 우리는 또 각자 새로운 이야기를 꿈꾼다. 그 출발을 함께할 수 있어 기쁘고 벅차다.

2020년 12월
'가천 인문 책 프로젝트'를 시작하며,
가천대학교 인문대학

'가천 인문 책 프로젝트' 시리즈

01 나도 모르게 먹히었다
 - 김주민, 이하윤, 이예빈, 박용춘
02 스무 살은 무거워서 집에 두고 다녀요
 - 백희원, 김창희, 한예지
03 배라도 든든하게, 글밥 한 끼.
 - 김미경, 신성호, 정량량
04 쩝쩝박사
 - 김준형, 이금라, 임세아, 한주희
05 가장 개인적인
 - 김성일, 서윤희, 이노자예, 조윤희
06 의성이의 시끌벅적한 하루
 - 김다영, 김연수, 손문옥, 임현중
07 밥통
 - 허윤준, 이정선, 레 뚜안 안, 응웬 트렁키엔
08 성남에서의 가천-로그 (Gachon-log in Seongnam)
 - 강진주, 구기언, 김목원, 김선우, 김솔, 노주영, 문준수, 문창환, 박도이, 백다은, 소힙존, 신기문, 신지수, 오영은, 윤상연, 윤우석, 이가연, 이승렬, 이영주, 이종희, 임동현, 정다현, 정주영, 정진미, 최선호, 치트러카준, 현재호, 정선주
09 서툴러도, 사랑해
- 권지은, 김은서, 김주영, 이하늘
10 전지적 도로시 시점
- 이윤선, 심보영, 이승유, 김가빈

11 카페인과 수면제 사이

- 김준호, 이윤수

12 비록 파라다이스는 아닐지라도

- 송윤서, 이예솜

13 커피 칸타타, 한낮에 꾸는 꿈

- 김유진, 신현기, 최수빈

14 늙은 왕자

- 양혜원, 조소빈, 차소윤, 최민영

15 추억 발자국

- 김가윤, 손수민, 이창규, 정다연

16 탈피

- 김선아

17 찾았다, 프랑스! - MZ세대가 바라보는 프랑스-한국

- 강다솜, 김유경, 안미르, 이유정

18 나의 길 2022

- 홍채린, 김수민, 이예원, 김연재, 김현수, 방극현, 이유선, 임영재, 이다원,
  배효정, 정유나, 안소연, 오현택, 김민주, 권라혜, 장상구, 최민수, 김해진,
  신정민, 최수인, 장미리, 조성은, 배지은, 임형준, 정슬아, 정지윤, 송인동,
  최대원, 김유화, 이상현, 이상훈, 권사랑, 이은지, 임정식, 이만식

19 REALTY for REAL (진짜들을 위한 부동산) [가천대 영어교재 시리즈-01]

- 방극현, 최대원, 송인동, 임형준

20 팝송 가사 실전에 써먹기(Popping expressions in Pop songs)

[가천대 영어교재 시리즈-02]

- 배효정, 권라혜, 신정민, 이다원, 임영재, 최수인, 정슬아

21 Dumbo와 함께 말해요 [가천대 영어교재 시리즈-03]

- 김민주, 권라혜, 안소연, 정유나

22 동화로 시작하는 영어공부 [가천대 영어교재 시리즈-04]

- 장미리, 권사랑, 배효정, 신정민, 이다원, 이유선, 조성은, 홍채린

23 별들의 놀이터(Playground of the Stars) [가천대 영어교재 시리즈-05]

- 송인동, 김민주, 김수민, 김연재, 김유화, 이예원, 정유나

24 전치사가 누구야? 대단한 품사지~ [가천대 영어교재 시리즈-06]

- 김현수, 배지은, 오현택, 이상훈, 임정식, 최민수

25 누구나 영어로 말할 수 있다 [가천대 영어교재 시리즈-07]

- 이은지, 정슬아, 최수인, 최민수, 장상구, 안소연, 권라혜, 오현택, 조성은, 정지윤

26 TRENDER: 젊음의 시각으로 시대를 읽다

- 강영흠, 김동환, 김시현, 김지윤, 이가현, 정준영

27 노선 밖의 이야기

- 김지수, 박소연, 이효진, 지은결, 천지영

28 나의 튜토리얼 회고록

- 오소영, 이미현, 이혜람, 정유리, 천성혁

29 각자의 새벽 속에서

- 강중현, 강태경, 김연유, 안주현, 황민지

30 3월 여름밤의 낙엽은 폭설이다

- 김민선, 김현정, 남궁설, 서민지

31 파도타기

- 김정현, 김혜정, 박경아, 양혜인

32 여기저기 써먹는 일상 한국어 (중국어ver)

- 권자연, 김현진, 조수경, 채예인, 황민서

33 마왕에게 꼭 필요한 조언 모음집

- 김동현

34 프랑스 문화 올림픽

- 김의나, 김종현, 김하진, 남치원, 박채연, 성윤지, 신동훈, 신승연, 양기성, 양현진, 이재형, 이주아, 정승아, 지창훈, 진희원, 허수정

35 중국, 넌 어떻게 생각해? : 중국인 인식 개선 프로젝트

- 김다희, 윤태민, 최하늘

36 Travel Bible: For Chinese Student at Gachon University

- 곽민정, 김예림, 김예신

37 즐겨찾기 서울: 한 권으로 보는 서울 핫 플레이스

- 양다연, 유혜린, 이나현

TRENDER : 젊음의 시각으로 시대를 읽다

발행 I 2024년 01월 08일

지은이 I 강영흠, 김동환, 김시현, 김지윤, 이가현, 정준영
편집 I 김동환, 김지윤
표지디자인 I 유지원, 이형철, 조예찬
ISBN I 979-11-410-6549-2

펴낸곳 I 주식회사 부크크
펴낸이 I 한건희
출판등록 I 2014년 7월 15일 제 2014-16호
주소 I 서울특별시 금천구 가산디지털1로 119 SK트윈타워 A동 305호
전화 I 1670-8316
전자우편 I info@bookk.co.kr
www.bookk.co.kr